D0532625

La memoria

938

Marco Malvaldi

Argento vivo

Sellerio editore
Palermo

2013 © Sellerio editore via Siracusa 50 Palermo
e-mail: info@sellerio.it
www.sellerio.it

2013 settembre seconda edizione

Questo volume è stato stampato su carta Palatina prodotta dalle Cartiere di Fabriano con materie prime provenienti da gestione forestale sostenibile.

Malvaldi, Marco <1974>

Argento vivo / Marco Malvaldi. - Palermo : Sellerio, 2013.
(La memoria ; 938)
EAN 978-88-389-3079-9
853.914 CDD-22

CIP - *Biblioteca centrale della Regione siciliana «Alberto Bombace»*

Argento vivo

A Bruna,
complice adulta di una infanzia felice

Il futuro non è più quello di una volta.

NIELS BOHR

Il gioco delle coppie

L'esperienza

Giacomo
Giocatore di golf con la professione della scrittura. Ama Paola, ma a volte tenta di dimenticarselo.

Paola
Architetto. Ama le cose belle e la vita tranquilla. Nonostante questo, ama anche Giacomo.

La gioventù

Leonardo
Per vivere programma, per sopravvivere legge. Ama Letizia.

Letizia
Per vivere insegna a leggere, per sopravvivere programma la vita a Leonardo. Che ama, nonostante tutto.

La legge

Corinna
Agente scelto. Abbondante di statura, un po' scarsa di prospettive.

Il dottor Corradini
Questore. Un'alta carica dai bassi istinti.

I MALFATTORI

Il Gobbo
Commerciante al dettaglio (vende a dosi).

Gutta
Se lo vedi, lo riconosci. L'importante è che non sia lui a riconoscere te.

I TECNICI

Costantino
Disoccupato e preoccupato. La variabile impazzita.

Tenasso
Ingegnere. Una costante universale.

LA CASA EDITRICE

Angelica
Editor di Giacomo. Lei si definisce una professionista. Anche Giacomo la definisce spesso una professionista, ma in un altro settore.

Il dottor Luzzati
Editore. Anziano, gentile, cardiopatico. Legge molto, pubblica poco, dorme pochissimo, non ride mai.

Inizio

Il significato di una telefonata dipende molto dall'ora in cui arriva.

Il telefono che squilla di mattina presto di solito annuncia imprevisti: a volte fastidiosi, come madri svegliatesi con l'influenza e che quindi non possono trasformarsi in nonne per andare a prendere il nipotino all'asilo, a volte graditi (non me ne viene in mente nessuno), ma pur sempre imprevisti.

Nel corso della mattinata le telefonate in entrata hanno vari significati, quasi tutti connessi alla parola «lavoro»: riunioni da organizzare, progetti da chiudere, fatture da saldare e via così. All'ora di pranzo, invece, il cellulare squilla pressoché sempre per motivi organizzativi di tipo familiare: se torni a pranzo passa a prendere il pane, se invece ti fermi al lavoro lo prendi stasera all'Esselunga, così compri anche la carta igienica e il mangiapolvere, grazie.

Nel corso del pomeriggio il prodotto del genio di Meucci ci disturba per motivi eterogenei e non precisamente sistematizzabili, ma spesso riservati alla sfera personale: partite a calcetto in cui tappare un buco, amanti il cui marito (o moglie) è rimasto bloccato dalla neve

a Bologna (o Frosinone, è raro ma può succedere), eccetera, eccetera. Va detto che, nel ventunesimo secolo, tali comunicazioni attinenti alla sfera del privato giungo-
no ormai sotto forma di SMS e sono usualmente fruibili
solo per il destinatario. Per natura, infatti, tali messag-
gi sono scritti in modo volontariamente criptico, e na-
scondono sempre un sottinteso che all'osservatore esterno sfugge: a volte il mistero si nasconde nel linguaggio
(«OK allr csvd 7 all std ;)»), mentre altre volte l'ignoto
riguarda la connessione mittente-contenuto (quando un
messaggio come «a Bologna continua a nevicare... ho messo le mutandine di pizzo...» arriva da qualcuno che in
rubrica appare come «Studio Geom. Benazzi», è chiaro
che una persona nota esclusivamente al destinatario lo
sta aspettando in un luogo discreto per una bella trom-
batina, e non è né la moglie né il geometra Benazzi).

Molto più facile è invece stabilire il significato di una
telefonata che arriva tra le otto e le nove di sera; qualsiasi notizia che l'interlocutore ritenga necessario co-
municarvi all'ora di cena, mentre state arrotolando il
meritato bucatino, è quasi sicuramente una rottura di
coglioni. Altrettanto facile interpretare il motivo di una
chiamata nel cuore della notte: può annunciare un nipote che è nato, ma è molto più probabile che vi avvi-
si di un congiunto che è morto.

In sostanza, il momento della giornata in cui capita
più spesso di parlare di cose piacevoli al telefono è il
dopocena: il momento in cui si sentono gli amici per
decidere che film andare a vedere, o in che locale andare a fare due chiacchiere, oppure si riceve una lun-

ga e piacevole telefonata da persone che non vediamo da parecchio, e che stanno lontano, e con cui vorremmo tanto passare un po' di tempo come si deve. Come quando ti telefona un figlio che studia all'estero.

– Dura ancora tanto 'sta cacchio di telefonata?

Paola guardò il marito, inspirò come per rispondergli, poi decise di lasciar perdere e riportò gli occhi su «Architectural Digest».

Il silenzio venne riempito immediatamente, ma non completamente, dal lontano strimpellare di un idioma incomprensibile, con un ritmo ondulatorio e inesorabile. Il tipico tono di chi non si è ancora arreso, ed è convinto di dover fare tutto il possibile per convincere il proprio interlocutore, facendo vanamente leva sugli stessi tre-quattro argomenti a turno. Paola riportò gli occhi sul marito, che si era rialzato in piedi e aveva ricominciato a camminare in su e in giù.

– Giacomo, calmati, per favore.

– Ce n'è già uno che fa le cose con calma in casa. Sono quarantacinque minuti che è al telefono.

– È suo figlio, Giacomo. Non lo sente mai. Per una volta che riceve una telefonata…

– E ci credo. Se tutte le volte che quel povero figliolo chiama, lui gli rompe i coglioni in questo modo, perché dovrebbe? E non mi dire che è colpa della distanza e del fatto che non si sentono mai. Secondo me gli massacrava le palle anche quando ce l'aveva in casa. Se è andato a studiare a Londra, coi soldi miei fra l'altro, ci sarà un motivo.

Sospirando, Paola si alzò dalla poltrona e andò lentamente verso la cucina. Dall'altra stanza, si sentì la voce della donna chiedere cortesemente a Seelan se per caso non potesse accorciare i tempi della telefonata, dato che Giacomo aspettava una chiamata importante. Giacomo immaginò lo sguardo del domestico: uno che con un'occhiata fugace era in grado di farti sentire un carnefice ogni volta che gli veniva chiesto di lavorare (cosa per cui Giacomo, a norma di legge e di coscienza, lo pagava, e nemmeno poco), per una richiesta del genere probabilmente doveva aver rivolto a Paola un'espressione tipo pastore tedesco con la leucemia. Dopo qualche secondo, Paola entrò nella stanza, e i due si guardarono.

Da tempo immemorabile, ovvero da quando era stato sottoposto ad un intervento chirurgico alla caviglia per correggere un piccolo difetto congenito, Seelan aveva semplicemente smesso di lavorare. I primi giorni, dopo essere tornato a casa di Giacomo ed essere stato accolto come un eroe di guerra, era sembrato naturale che non ricominciasse a pieno regime, ma che si prendesse spesso delle piccole soste in poltrona, con il piede ben appoggiato su uno sgabello per favorire la circolazione. Solo che, col passare delle settimane, le pause si erano impercettibilmente allungate invece di venire riassorbite nel normale ritmo lavorativo, e dopo circa sei mesi dall'operazione Giacomo e Paola avevano dovuto prendere atto della nuda verità, e cioè che Seelan non faceva più un tubo e passava le giornate a leggere, bere succo di frutta (solo all'ananas, gli altri non gli piacevano) e dare ogni tanto una spolverata alla mensola sopra il camino con l'aria orgogliosa del reduce. Tutto questo, beninteso, non a casa sua, ma a casa di Giacomo: casa nella quale continuava a presentarsi alle otto di tutte le mattine, con la stessa metronomica puntualità con la quale continuava a ritirare un congruo stipendio il ventisette di tutti i mesi, più tredicesima a dicembre. Licenziarlo era semplicemente fuori questione: l'unica volta in cui i due erano riusciti, dopo una notte insonne, a decidersi di passare alle vie di fatto, la mattina seguente prima ancora che potessero aprire bocca Seelan aveva loro comunicato con il giusto orgoglio paterno che il primogenito Junis era stato ammesso all'Imperial College, a Londra. Scuola prestigiosa, e da Tony Blair in poi anche costosa: circa tremila sterline l'anno solo di iscrizione, come aveva detto loro il domestico con aria preoccupata, ma allo stesso tempo consapevole. Le intenzioni dei due erano comprensibilmente sfumate, per poi inesplicabilmente concretizzarsi in una paradossale offerta di quattordicesima mensilità che Seelan, dopo un primo rifiuto di pura cortesia, aveva prontamente sottoscritto.

Mentre i due si guardavano, dicendosi con lo sguardo quanto sopra, il domestico entrò nella stanza con la sua solita aria affranta.

– Allora, Seelan, come sta Junis?

Il domestico, dopo un attimo di pausa, emise un sospiro che avrebbe mosso a compassione un nazista col mal di denti.

– Io credo non bene, signora.

– Problemi con gli esami? – chiese Paola, con uno stupore non simulato. Il figlio di Seelan era sveglio, intelligente, parecchio studioso e non si lamentava mai: probabilmente aveva preso dalla madre.

– No, con gli esami non problemi. Lui è bravo, sempre è stato bravo. Ma ora ha conosciuto ragazza, e vuole presentarcela. Brava ragazza, dice lui. Pensa a studiare, dico io. Io non so cosa si è messo in testa.

– Ma dai, Seelan. In fondo è giovane.

– Questo lui dico. Ancora sei giovane. Ma lui è giovane, e testardo. Crede di farcela perché sempre ce l'ha fatta fino ad ora. Ed io non distrarti, gli dico. Devi pensare a studiare, non alle ragazze. E lui ride.

– Be', Seelan, ma è naturale...

– Non che io non capisco. Londra è posto difficile dove vivere. E lui si sente solo. Lui gli manca la casa. Gli manca la casa, la famiglia. Suo fratello, e suoi genitori.

– Potreste trasferirvi là... – azzardò Giacomo, intravedendo un bagliore di speranza. Mentre Paola lo guardava malissimo, Seelan scosse la testa con mestizia.

– Eh, non credo. Clima di Londra non è buono per mio piede. Ancora fa molto male. Ogni giorno che passa io sento sempre peggio. Io...

Per fortuna, in quel momento squillò il telefono.

– Da trentuno a trentasei... da quarantuno a quarantasei... cinquantuno e cinquantatré. Eccoci.

La porta si aprì, e i due tizi entrarono nello scompartimento. Quello che entrò per primo era basso e macilento, con un giubbotto di pelle nero, occhiali neri, basettoni a punta e, cosa strana, era contemporaneamente pelato e coi capelli lunghi: i pochi capelli sopravvissuti ai lati della testa, neri anch'essi, erano stati lasciati crescere e raccolti in una lunga coda, presumibilmente per compattarli e dar loro più fiducia in loro stessi. Dietro di lui, senza dire una parola, seguiva un tipo in tuta da ginnastica con i capelli tagliati cortissimi, a macchinetta, con un pancione teso, da bevitore di birra, ed un aspetto inquietante; forse per la faccia, che mancava completamente di espressione, o forse per l'orecchio destro, che mancava parzialmente di padiglione esterno, dato che un pezzo era stato visibilmente staccato con un morso.

Dentro lo scompartimento c'era solo un giovanotto esile, di circa trent'anni, capelli biondi e pizzetto incolto, ma nel complesso ben tenuto, e visibilmente nervoso. Nervosismo che non accennò a passare nemmeno quando il tipo in giubbotto di pelle lo salutò con cordialità:

– E c'è anche Costantino. Hai visto, Gutta, che c'è Costantino? Te l'avevo detto che veniva. Allora, Costantino, come butta?

Gutta, le mani in tasca, si sedette di fianco a Costantino senza far trasparire nessun segno di entusiasmo per la sua presenza.

– Bella l'idea del treno – disse Costantino, dopo aver dato uno sguardo il più rapido possibile al suo nuovo compagno di sedile.

– Vero? – disse il tizio, visibilmente compiaciuto. –
È l'ideale, il treno, per ragionare in pace. Non c'è
niente da fare. Specialmente 'sti treni qua che sono sempre mezzi vuoti. Ti prenoti il tuo scompartimentino e
nessuno ti rompe le scatole. Altro che al bar, o allo stadio. Conoscevo gente che parlava di lavoro allo stadio.
Te lo ricordi il povero Manfredi, Gutta?

Gutta acconsentì tacendo.

– Lui parlava di lavoro anche allo stadio. Un casino
che non ti dico. Già solo per trovarsi era un macello. Invece così sei tranquillo e ti fai gli affari tuoi, dico bene?

– Sì, in effetti...

– Bene bene. Allora, Costantino, grandi notizie. Ho
trovato un'occasione veramente di quelle serie. Una bella villettina di quelle signorili, in mezzo ai campi. Hai
presente la strada che porta da Nodica a Vecchiano pas-
sando accosto al monte? È quella villetta gialla che c'è
a metà strada, addossata alla parete del monte. Fuori
città, così non c'è problema per il parcheggio, e poi per
il parcheggio eventualmente c'è tanto giardino. Sarà un
mezz'ettaro di giardino tutto tutto. La casa è su due
piani, più mansarda. Secondo me sono duecento metri quadri buoni. E poi c'è anche il balcone, come piace a te. Il piano primo è tutto terrazzato, con questo
balcone che corre lungo tutto l'esterno della casa. L'i-
deale. Per come sono messi i proprietari, avevo pensato che potevamo farci una visitina domenica prossima.

– Domenica prossima?

– Sarebbe perfetto.

Costantino scosse la testa.

– Ho bisogno di qualche informazione in più. Così, su due piedi, non posso assicurartelo...

– Senti, è un'occasione da non sprecare. Questa è veramente un'occasione da non sprecare. Casa singola, in campagna, in mezzo a campi e tranquillità. E c'è anche il terrazzo tutto intorno. Cosa vuoi di più?

– Vorrei sapere che infissi ci sono, per esempio. Se sono nuovi o vecchi, d'alluminio o di legno. E vorrei sapere che tipo di allarme ci hanno installato. D'accordo che è isolata e ha tanto giardino, ma visto che non devo esattamente affittarla per le vacanze ho bisogno di sapere più cose possibile. Se proprio dobbiamo fare questa cosa, facciamola ammodo. Se proprio dobbiamo farla. Perché a me continua a sembrare troppo rischiosa.

Il tipo sospirò brevemente, poi si tolse gli occhiali da sole e se li calcò sulla piazza rosa.

La caratteristica fisica più inquietante del Gobbo erano due occhi acquosi, di un azzurro pallido e con la sclera irta di venuzze. Due occhi talmente impressionanti che probabilmente si facevano spavento da soli, visto che quando il Gobbo piantava in faccia a qualcuno la pupilla sinistra, il globo destro rimaneva ostinatamente orientato in direzione dell'orecchio. Per quale motivo, poi, uno che era strabico in quel modo esagerato si fosse guadagnato il soprannome di «Gobbo» era per Costantino un mistero; aveva capito solo a) che non era conseguenza né di menomazione fisica né di simpatie calcistiche e b) che il soprannome andava usato solo in terza persona e in assenza del diretto interessato.

– Ascolta, Costantino, nemmeno a me piace questa cosa. È un rimedio di emergenza. È tutta colpa di questa benedetta crisi che ci ha lasciato tutti senza lavoro. Tutti, non c'è scampo. Io ero una persona normale, come te. Io ce l'avevo il mio lavoro. Avevo i miei clienti e i miei fornitori. Io pagavo loro e loro pagavano me. Poi è arrivata la crisi.

– Facevi il commerciante? Non lo sapevo.

– Come no? Ero l'unico rappresentante dei fratelli Cardelli, qui a Pisa. Tutta roba italiana, anzi, tutta roba pisana. La maria la coltivavano a Lajatico, e gli acidi li sintetizzava un laboratorio verso Santa Croce. Ero l'unico spacciatore a chilometro zero d'Italia. Poi è arrivata la crisi. Non ci sono soldi, e quindi i soldi non girano. E quindi anche uno tranquillo come me, che non dava noia a nessuno, si trova costretto a queste alzate d'ingegno per portare a casa la pagnotta. Non piace mica a nessuno, sai? Né a te, né a me. Allora cosa vogliamo fare?

Costantino avrebbe voluto respirare profondamente, ma non sapeva se era il caso, con quell'occhio puntato addosso. Di sicuro, era meglio stare zitti.

Mentre Costantino si chiedeva come avrebbe dovuto comportarsi adesso, allo scompartimento si affacciò un tizio con una piccola valigetta; e, nonostante avesse un occhio puntato in faccia a Costantino e l'altro che controllava il finestrino, il Gobbo si accorse subito della new entry.

– Buongiorno...

– Buongiorno – disse il Gobbo, tornato nuovamente affabile.

– Abbia pazienza, ma quello sarebbe il mio posto.

– Ah, capisco. Lei vuole stare accanto al finestrino, certo. Le potrei chiedere per cortesia se potessi rimanere qui ed evitare di alzarmi? Ho la schiena piuttosto malandata e tirare giù di nuovo la valigia – il Gobbo alzò lo sguardo verso il grosso borsone da marina che Gutta aveva posato sulla reticella poco prima – non mi sarebbe di molto aiuto, sa. Però lei vuole stare accanto al finestrino, anzi, ne ha diritto. E presumo che voglia stare nel verso di marcia. Se posso permettermi, visto che il treno è mezzo vuoto, le dispiacerebbe accomodarsi in un altro scompartimento? Ce ne sono parecchi che sono completamente vuoti, ho visto.

– Guardi, abbia pazienza ma devo arrivare fino a Roma e non so quanta gente monterà da qui alla fine – disse il tipo, apparentemente indifferente alle sofferenti vertebre del Gobbo. – Visto che ho prenotato, non vorrei fare il viaggio sullo strapuntino. Per cui se vuole la aiuto volentieri a tirar giù la valigia, ma adesso le chiederei per favore se potessi sedermi al mio posto.

E, distolto lo sguardo dal Gobbo, si alzò sulle punte dei piedi e appoggiò la valigia sulla reticella.

Passò un attimo gonfio di silenzio.

Mentre Costantino si scopriva ipnotizzato dagli alberi che scorrevano fuori dal finestrino, il Gobbo guardò Gutta con l'occhio valido. Gutta, senza scomporsi, si alzò in piedi e tirò giù la valigetta dell'uomo. Quindi, rimettendogliela in mano, disse semplicemente: – Il mio amico le ha chiesto un favore.

Sarà il tono neutro, sarà l'accento balcanico, sarà il pezzo di orecchio mancante: fatto sta che a Dorinel Belodedici, noto come «Gutta» nella propria ristretta cerchia di amicizie, capitava assai di rado che qualcuno avesse da ridire quando rendeva palesi le proprie intenzioni. Se infatti Costantino ignorava l'origine del soprannome del Gobbo, sapeva invece con ragionevole certezza che «Gutta» era l'abbreviazione di Guttalax, in quanto era opinione comune negli ambienti meno altolocati di Pisa e provincia che bastava vederlo per farsela addosso.

Anche stavolta, l'effetto fu quello lassativo. Dopo un tempo relativamente breve – tre o quattro alberi appena – Costantino sentì la porta dello scompartimento chiudersi con delicatezza, e voltandosi vide che all'interno erano tornati ad essere in tre.

– Allora, Costantino, sulle informazioni hai ragione. Dobbiamo dare un'occhiata alla casa più da vicino. Però il lavoro va fatto domenica notte senza discussione. Lo so che hai poco tempo, lo so, e che vuoi fare la cosa in modo coscienzioso. Ma va fatto domenica notte per forza.

– C'è un motivo che non so?

Il Gobbo fece un sorrisetto di superiorità.

– Uno dei miei clienti abituali lavora in un'agenzia di viaggi. Ultimamente c'è crisi, come ti dicevo, e questo ragazzo ha accumulato un po' di debiti. Nessun problema, dico io. Non esistono solo i soldi. Torniamo al caro, vecchio baratto: tu mi dici quando un tuo cliente fa un bel viaggio lungo, tipo diciamo una bella settimana ai Caraibi. Una di queste cose che fanno i riccastri, no? tipo gli amministratori delegati che hanno sposato una stangona inutile ma tanto gnocca e che ogni tre quattro mesi, siccome sono stressati da tutto quell'evadere e tutto quel trafficare coi paradisi fiscali, prendono e vanno una settimana in un paradiso tropicale per rilassarsi, come se in vita loro lavorassero per davvero. E dopo due o tre falsi allarmi, l'altro giorno mi ha detto che c'è questo tizio, questo scrittore famoso, che va a farsi un bel fine settimana in una beauty farm. Va in Provenza e ci sta tre giorni, da venerdì a domenica. E fino a lunedì prossimo non torna a casa. Abbiamo tre giorni di tempo per preparare tutto quello che ci serve, entrare belli comodi, prendere quello che ci piace e poi piazzarlo in tutta tranquillità. Però la cosa va fatta domenica notte.

– Sarebbe meglio sabato, allora.

– In teoria, sì. In pratica, sulla strada lì vicino c'è un discopub. Non è vicinissimo, questo no, ma non è nemmeno impossibile che ci vedano. Ora, siccome il discopub di domenica è chiuso e io, sai com'è, preferirei che ci fosse meno gente possibile nei dintorni, allora lo metterei in calendario per quel giorno lì.

– Ho capito – disse Costantino. – E quindi?

– E quindi si passa all'azione. Abbiamo una casa in campagna da visitare, e un po' di roba da portare via. Per prima cosa, ci serve una macchina.

– Pronto?

– Lo spero bene. Sono quaranta minuti che provo a chiamarti.

Giacomo respirò profondamente una quarta volta. Le altre tre respirazioni le aveva eseguite prima di alzare la cornetta. Un accorgimento necessario quando al di là della cornetta c'era Angelica Terrazzani, ovvero la sua editor.

Nell'ambiente di coloro che vivono di editoria, la Terrazzani era nota come A. A. A. (Angelica All'Anagrafe), nomignolo che oltre al resto teneva anche in giusto conto la natura squisitamente commerciale del suo riguardo per gli autori. Se a Giacomo fosse mai capitato di incontrare i genitori della suddetta femmina di scorpione, la prima domanda che avrebbe posto loro avrebbe molto probabilmente riguardato proprio la scelta del nome, nella quale avvertiva più ironia che speranza.

– Ciao Angelica. Sì, abbi pazienza, è che c'era Seelan al telefono con il figlio che sta a Londra...

– Seelan? E che ci fa ancora lì? Avevo capito che dovevi licenziarlo. Anzi, avevo capito che lo avevi proprio licenziato.

– Sì, infatti. È che il momento è piuttosto complicato. Ha il figlio che studia a Londra, e adesso dovrebbe prendere il master. Poi ci si sono messe di mezzo altre cose che non ti sto a dire, guarda. Insomma...

– Insomma, il solito casino di casa Mancini. Ho provato anche a chiamarti sul cellulare, così, tanto per vedere se un'insolita congiuntura astrale riusciva a creare una interferenza favorevole anche laggiù fra Nodica e Vecchiano, che credevo fosse in provincia di Pisa, e invece da quando lavoro con te ho scoperto che si trova nel triangolo delle Bermude. Ascolta, Giacomo, sono riuscita a farti avere un'intervista.

– Un'intervista?

– Eh. Un'intervista. Sul «Corriere».

– Il «Corriere».

– Sì, Giacomo. Il «Corriere». Il quotidiano. Sai, quella roba di carta, che al giorno d'oggi si può leggere anche su un tablet, che esce tutti i giorni così i politici possono spiegarti in maniera retroattiva come mai ieri è successo quello che è successo, anche se non riescono mai a decidere cosa fare oggi o a prevedere ciò che succederà domani.

– Sì, Angelica. Pensavo semplicemente che ne ho fatte parecchie, di interviste, sul «Corriere».

– Vero. Ma l'ultima risale a più di cinque anni fa.

– Sì, d'accordo. Ma io sono la stessa persona di cinque anni fa. E anche le domande, prevedo, saranno le stesse di cinque anni fa. Come mai nei suoi libri predominano le figure di sportivi? Per quale motivo lei usa il golf come metafora della vita? E io lì a spiegare che nel golf si sa più o meno dov'è la buca, ma non la si può vedere con chiarezza, e che anche quando si va nella direzione giusta solo dopo un lungo cammino si può vedere di quanto si è mancata la buca e bla bla bla. Non vedo cosa mi potrebbero chiedere di nuovo.

– Potrebbero chiederti perché da cinque anni a questa parte non vendi più un libro.

Giacomo inspirò, ma si fermò lì. Angelica, dopo un attimo, continuò:

– Giacomo, parliamoci chiaro. Sei stato uno degli scrittori più prolifici e più commercialmente validi degli ultimi trent'anni. Pur scrivendo cose intelligenti sei riuscito a vendere centinaia di migliaia di copie, e in Italia questo è notevole. Scrivendo di sport, sei riuscito a far leggere anche i maschi, e in Italia questo ha del miracoloso. Però, se vogliamo guardare la realtà, tutto questo appartiene al passato. E lo sai. Gli ultimi due libri che hai fatto non sono stati esattamente dei bestseller.

Passò un altro attimo di silenzio. Giacomo stavolta riuscì a espirare, ma senza alcun processo di fonazione.

– Di *Ferro Nove* abbiamo tirato quarantamila copie. Ne abbiamo vendute novemilaseicento. Qualche migliaio, diciamo cinquemila per essere generosi, sono in giro tra librerie, supermercati e magazzino. Principalmente magazzino.

– Questo lo so benissimo – articolò Giacomo eroicamente.

– Bravo. Allora saprai anche dove sono andate a finire le altre venticinquemila. Lo sai, oppure se uso la parola «macero» ti causo una crisi di identità?

Silenzio. E, ai fini burocratici, anche assenso, se proprio vogliamo.

– Allora – continuò Angelica – se vogliamo vendere questo nuovo libro, bisogna salare un po' la miniera. Dobbiamo far sapere anche ai lettori senza dentiera chi era Giacomo Mancini.

Un uomo felice, prima di conoscerti.

– Il giornalista si chiama Stagnari. Michele Stagnari. Mi metto d'accordo per... quando è che dovresti partire tu?

Qui, Giacomo vide il coltello che tornava miracolosamente ad orientarsi con il manico verso di lui.

– Non «dovrei». Parto venerdì pomeriggio.

– Hm. È un casino. Senti, non è che potresti...

– Spostare la partenza della prima vacanza che mi prendo in un anno? Come no. Gli avvocati per la causa di divorzio però me li paghi tu.

– Va bene, va bene. Vedo di mettermi d'accordo per domani mattina. Ah, un'ultima cosa: il libro è finito, vero?

– Fa piacere sentirselo chiedere dal proprio editor, come ultima cosa. Sì, il libro è finito.

– Però.

Anche Giacomo, quando il giornalista si era presentato alla porta, aveva pensato ad un bisillabo con l'accento in fondo.

Gesù.

Mi hanno mandato il nipote dell'apprendista più giovane.

Il giornalista, in effetti, sembrava essere arrivato direttamente dalla ricreazione. Capelli scarruffati, cuffione al collo, e sulle spalle uno zainetto enorme da cui, curiosamente, non spuntava nessuno skateboard. Giacomo lo aveva fatto entrare e gli aveva chiesto se voleva un caffè, o magari una gazzosa. Il giovane, forse ipnotizzato dalla quantità sterminata di libri che rivestivano le pareti della casa, aveva rifiutato entrambi.

31

Mentre il giornalista (Stagnari, gli sembrava di ricordare) continuava a guardarsi intorno, apparentemente contando tutti i volumi, Giacomo prese un respiro profondo.

Se questo adesso mi chiede se li ho davvero letti tutti, lo prendo per le trombe del culo e lo butto fuori di casa.

– Senta, le dispiace se comincio quest'intervista in modo un po' inusuale?

– Per nulla.

– Mi descriverebbe la sua libreria?

– Prego?

Stagnari sorrise, in modo lievemente timido.

– Vede, io credo che niente come una libreria cresciuta negli anni possa far capire che tipo di persona si ha di fronte. Specialmente una libreria come questa. Borges diceva che andava più orgoglioso dei libri che aveva letto che non di quelli che aveva scritto. Detto da Borges fa un po' impressione, non trova?

– Eh sì. Prego, prego, domandi pure.

– Mi spiegherebbe, prima di tutto, il criterio?

– Il criterio? È molto semplice, mio giovane amico. Il mezzo espressivo. Non proprio l'argomento, né tantomeno il valore intrinseco del libro. Alcune sezioni sono chiare: lì ci sono i fumetti, per esempio, e laggiù accanto al camino ci sono i gialli.

– È la parete più vasta della stanza.

– Non è un caso. Qui abbiamo filosofia e religione, e qui i grandi classici. Non tutti i volumi sono qui, ovviamente. I libri di cucina sono in cucina, le guide turistiche sono in mansarda, e i libri fotografici sono al cesso.

– Questa sezione cos'è?

– Vite di uomini eccezionali.

Il giovane scorse con l'indice il dorso dell'*Apologia di un matematico*, di Hardy. Quindi, fermatosi, toccò il libro accanto con lo stesso indice, divenuto esitante, e lo tirò a sé uncinandolo con grazia.

– E allora, scusi...

– Dica.

– Cosa ci fa, nelle vite di uomini eccezionali, la biografia di Ibrahimovic?

– Lei ci riesce a segnare in rovesciata da trenta metri?

– No, certo che no.

– Quanti uomini ci riescono, secondo lei?

– Pochissimi.

– E quanti ci proverebbero in una partita ufficiale, e non amichevole, riuscendoci?

– Solo lui, credo.

– Ecco. Allora Ibrahimovic è un essere umano che fa eccezione, no? E trovo del tutto naturale essere curioso di sapere da dove sia venuto fuori uno con capacità simili. Lei no?

– Non ne sono sicuro... Però, messa in questo modo, mi dà l'occasione per farle una domanda molto importante. Che cos'è, per lei, lo sport? E, in particolare, il golf?

Giacomo sospirò. Eri partito bene, ragazzo. Mettendosi a camminare su e giù per la stanza, cominciò:

33

– Vede, io vedo lo sport come metafora della vita. Il golf, in particolare. Anche sapendo più o meno dove si trova la buca, e spedendo la palla nella giusta direzione, non si può essere certi di quello che accadrà. Anzi, si può essere certi del fatto che non si può mandare la palla in buca al primo tentativo. Solo dopo un lungo cammino... sì?

– Mi scusi se la interrompo, non volevo sapere esattamente questo. La mia domanda specifica è: lei gioca a golf?

Giacomo si fermò un attimo, con un largo sorriso.

– Certo che gioco a golf. Mi alleno regolarmente. Anche ora, in vacanza, mi porto dietro le mazze.

– E come gioca? Ha un handicap?

– Certo che ho un handicap.

– E quanto sarebbe, se posso...

– Ufficialmente, dodici. Credo che realisticamente il numero sia parecchio migliore, ma è un pezzo che non gioco una gara ufficiale. Di solito nei weekend sono impegnato, sa, e i tornei usualmente si fanno il fine settimana. Devo dire che, comunque, in allenamento, faccio la mia porca figura. Tanto per darle un'idea, proprio all'inizio della settimana, per esempio, sono andato in uno sotto il bogey alla nove di Tirrenia. Ha presente il percorso di Tirrenia?

– Non troppo. Sa, io non gioco, ho solo letto ogni tanto, così...

– Una buca particolarmente rognosa. È una dog-leg, con un angolo di quaranta gradi circa, il che nelle giornate ventose può farti finire la pallina direttamente in provincia di Livorno, se sbagli il drive.

– Certo, capisco. Quindi, mi scusi, tornando, o meglio, andando al nuovo libro che sta scrivendo...

– Sì?

– Anche in questo ultimo libro il protagonista ha a che fare con il mondo del golf?

– No, no. Non proprio. Il protagonista è un universitario. Un matematico, per la precisione. Un matematico alla ricerca della bellezza. Qualcosa di decisamente diverso, rispetto ai miei ultimi libri.

– Quindi, una rottura con la sua produzione degli ultimi tempi. E i suoi lettori, come la prenderanno? Non ha paura di un'accoglienza diversa dal solito?

– Paura? – Giacomo ridacchiò. – No. Direi proprio di no.

La miglior dote di un buon poliziotto è saper aspettare.

Nelle condizioni più inospitali, con le aspettative più diverse, e nelle situazioni più disparate, per essere un buon poliziotto saper attendere è fondamentale. Occorrono ore, giorni, a volte mesi di appostamenti prima di cogliere al volo un evento che non sappiamo quando (a volte nemmeno come, e a volte nemmeno se) si verificherà. Attese fatte di momenti sempre uguali, di silenzio, di freddo, di pensieri al coniuge che è a casa da solo, si spera; il tutto senza potersi distrarre un attimo dall'oggetto della nostra attenzione. Che, quando va bene, è una porta chiusa in una strada buia.

Al momento, l'agente scelto Ana Corinna Stelea stava aspettando da quaranta minuti, e non si sentiva esattamente un buon poliziotto.

Questo, per inciso, non aveva tanto a che fare con la durata relativamente breve dell'attesa, un'inezia se paragonata ai tempi da assedio medievale di cui favoleggiavano i colleghi, quanto con il contesto in cui tale attesa veniva, per così dire, esercitata. Va bene le situazioni più disparate, ma attendere il proprio turno alla lavanderia a gettoni non era esattamente una attività che faceva curriculum.

Poca differenza, in fondo, rispetto alle altre mansioni a cui la destinavano in questura. Agente scelto. Certo, Corinna veniva scelta spesso: per alzare la sbarra dell'ingresso della questura, ad esempio. Precisamente il contrario di un'attività di tutto rispetto. Un po' per la cosa in sé, che era abbastanza mortificante; un po' per l'irrinunciabile battuta del questore, dottor Alfredo Maria Corradini, che ogni maledetta mattina in cui era di turno si produceva nella sua elegantissima e sempre nuova «certo che come tira su la sbarra la nostra Corinna ce n'è poche, vero?», che a Corinna faceva immancabilmente venire voglia di assestargli un bel calcio nei cardini.

Come sempre, quando il flusso di pensieri la portava in quella direzione, Corinna incominciò a sognare ad occhi aperti; ma, dopo qualche secondo di piacevoli vagheggiamenti, proprio mentre sferrava la pedata definitiva nell'inutile corredo maschile del dottor Corradini l'asciugatrice emise un triplice bip soddisfatto, e Corinna dovette mettersi in moto.

Primo, liberare l'asciugatrice, nel caso in cui l'utente precedente non sia in loco: operazione che va fatta con garbo, evitando di spiegazzare, rovinare e cercando di curiosare il meno palesemente possibile.

Incredibile.

Corinna trovava incredibile come la gente lasciasse che a levare la propria biancheria dall'asciugatrice fosse qualcun altro. Un po' perché se la roba non la pieghi subito ammodino ma la lasci ammassata nella conca rimane tutta grinzosa, certo, ma principalmente per decoro. Non mi conosci, non sai chi sono, non posso accedere al tuo profilo Facebook ma ho facoltà di rovistare nelle tue mutande. Paradossale.

Secondo, caricare: mettere la biancheria, impostare la temperatura più bassa (oggi è quasi tutto sintetico), decidere la durata e infine inserire tre sanguinosi euro nella fessura del mostro. Fessura che si trovava, per motivi ignoti agli esseri razionali, a circa due metri di altezza, per cui Corinna si era trovata più volte a dover inserire lei le monete per conto della vedova Trotti o di altre donnette di statura non adeguata ai moderni standard della Comunità Europea. E questa era una delle altre maledizioni di Corinna.

«Signorina, lei che è così alta, me lo prenderebbe per favore il Glassex che laggiù non ci arrivo?», «Signorina, lei che è tanto alta, mi porgerebbe per cortesia il latte scremato, che me l'hanno messo in cima sul quarto ripiano?». E Corinna faceva calare dall'alto con un sorriso di circostanza.

Da adolescente, Corinna era stata orgogliosa della sua altezza, perché la faceva sentire adulta; e, obiettivamente, non puoi trattare una ragazza di un metro e novanta come se fosse una bambina. Crescendo, o meglio, avanzando di età, la sua altezza incominciava a diventare, se non un problema, un fastidio: fastidio che si sarebbe acuito se avesse saputo che i colleghi la soprannominavano «la pennellessa», cosa che fortunatamente Corinna ignorava.

Terzo, sedersi ed aspettare di nuovo. E mentre si aspetta, chiedersi per quanto ancora durerà il purgatorio a Pisa. Una città dove piove centoventi giorni l'anno, e che presenta un tasso di umidità amazzonico per i restanti duecentoquarantacinque. Una città da centomila abitanti, il cinquanta per cento dei quali studenti universitari: a conti fatti, tra i dieci e i ventimila giovani maschi che popolano l'happy hour in cerca dell'anima gemella, e ritengono di poter testare all'uopo quella bella stangona con gli occhi verdi laggiù da sola. Peccato solo che quando ti chiedono che cosa studi e tu rispondi «io veramente lavoro» ti guardano già in modo diverso, e quando ti chiedono che lavoro fai e tu rispondi «sono in polizia» dopo cinque minuti devono andare. E tu, che non conosci praticamente nessuno e quelli che conosci sono colleghi con cui sei già costretta a passare otto ore al giorno, ti ritrovi da sola come una scema, ad aspettare chissà cosa. Come adesso.

L'unica differenza è che in lavanderia c'è scritto sul display quanto devi aspettare. Trenta minuti; praticamente niente, per un buon poliziotto.

Lunedì mattina

– Mi dica lei che cosa devo fare.

In piedi davanti alla scrivania, il giaccone ancora indosso sul maglione infilato col davanti dietro a sua volta sovrapposto ad una camicia fradicia di sudore per la corsa, Leonardo tacque. L'ingegner Tenasso, invece, continuò:

– No, mi dica lei a questo punto che cosa dovrei fare.

Sin dal primo giorno, Leonardo aveva notato la tendenza del suo datore di lavoro a ripetere per tre o quattro volte lo stesso concetto, arricchendolo iterativamente con interiezioni, congiunzioni, specificazioni ed altri ornamenti assolutamente superflui, ma evidentemente necessari per rendere la frase più incisiva.

– Mi dica lei a questo punto come faccio ad affidarmi a una persona come lei.

Ad essere sinceri, su questo punto l'ingegner Tenasso non aveva tutti i torti. Era esattamente la stessa cosa che aveva pensato Leonardo, quella mattina stessa alle 8:46, quando era sceso dal vagone numero 5 del regionale veloce 3130 con il naso ancora affondato ne *Il cucchiaino scomparso* alla stazione di Navacchio. O meglio, non esattamente in tale orario: né tantomeno alle 8:47, quando era fluttuato fuori dall'ipnosi da libro accorgendosi di aver lasciato sul sedile la borsa con il computer aziendale, ed era risalito immediatamente sul treno (sempre sul vagone numero 5) per riprenderselo. Il pensiero si era concretizzato nei dintorni delle 8:48, quando in accordo con l'orario ufficiale di Trenitalia il capotreno aveva sventolato il fazzoletto verde e dato il segnale di partenza con un fischio deciso e penetrante, a cui aveva fatto eco (ancora dal vagone numero 5) una esclamazione di sorpresa, seguita da un gagliardo filotto di bestemmie assortite. E, subito dopo, il pensiero di cui sopra.

– Uno che non solo non è in grado di arrivare in orario, ma che è anche convinto di potermi prendere in giro.

E anche qui, Tenasso non aveva tutti i torti.

Perché Leonardo, una volta sceso alla stazione successiva (Empoli, alle nove e zerotre) era saltato sul treno successivo in direzione opposta ed era arrivato finalmente alla stazione di Navacchio alle nove e ventisei, per poi partire a corsa verso la LeaderSoft s.r.l., dove ricopriva a tempo determinato il ruolo di junior engineer del software ed era ricoperto a tempo indeterminato di lavoro da sbrigare dal suo diretto supervisore, Tenasso ing. Pierpaolo, il quale non era altri se non lo stesso amministratore delegato della ditta. Ditta presso la cui sede, quella mattina, Leonardo era infine affannosamente arrivato con trentasette minuti di ritardo esatti.

Quando Leonardo, per giustificare il proprio ritardo, aveva considerato che nessuno dei suoi colleghi veniva con quel treno e aveva tirato fuori la balla che il regionale veloce era arrivato in ritardo per cause imprecisate, non aveva tenuto conto del fatto che Tenasso, oltre agli altri difetti, era un ingegnere. Ovvero, una persona profondamente informata e competente riguardo a qualsiasi tipo di macchinario, ivi compresi i treni.

Per gli ingegneri, spesso, la competenza è il massimo grado di amore romantico immaginabile: e anche se da adulto aveva scoperto i computer, fin da bambino Tenasso era stato profondamente interessato ai treni, e la prima competenza non si scorda mai. Ancora oggi, riguardo ai treni quest'uomo sapeva tutto. Tutto. Conosceva a memoria modelli, velocità di punta, tensioni di alimentazione supportate e, soprattutto, orari. Con relativi codici.

Erano bastati a Tenasso due clic sul tuttofonino per verificare, grazie all'applicazione «ProntoTreno», che il regionale veloce 3130 quella mattina era arrivato regolarmente alle 8:46 di cui si parlava poc'anzi. Da qui, in automatico, era scattato il cazziatone.

Cazziatone sacrosanto, quella volta.

Dopo la tripletta di richieste retoriche, Tenasso si appoggiò allo schienale della poltrona.

– Lei si deve mettere in testa che qui si lavora in team. E lavorare in team è principalmente una questione di fiducia. Fi-du-cia. Io devo essere certo di potermi fidare di lei. E la fiducia, si ricordi, è un capitale che si perde con una singola giocata. Mi ha capito?

Leonardo annuì. Tenasso, alzatosi dalla poltrona, si diresse verso la porta dell'ufficio.

– Bene. Adesso si ricomponga un momento, che mi sembra un infelice, e chiudiamola con le perdite di tempo, che c'è tanto da fare. E la prossima volta veda di scendere alla fermata giusta. O, già che c'è, venga in auto come fa sempre.

– Eh, se potessi lo farei. Ma al momento non ce l'ho.

– Revisione?

– Non proprio. Me l'hanno rubata stanotte.

– Ah cavolo. Davvero?

Tenasso, che stava aprendo la porta, si fermò con la mano sulla maniglia, assumendo un'aria dispiaciuta non priva di sincerità. In fondo, il rapimento di un macchinario di famiglia era comunque una cosa grave. Dopo che Leonardo ebbe assentito, con una piccola smorfia, ritenne opportuno informarsi sul congiunto.

– Ce l'aveva da tanti anni, immagino?

– Eh sì. Da tredici anni, circa. Un regalo di mio nonno, per la maturità. Siamo andati al cinema, ieri sera, e quando sono tornato ho visto il posto vuoto e ho pensato: «Mi sembrava di averla messa lì la macchina». Nello stesso momento mia moglie ha detto: «Leo, ma non l'avevi messa lì, la macchina?».

– Accidenti. Però funzionava ancora bene, no? – commentò Tenasso, più interessato al marchingegno che alle reazioni umane. – Ci veniva tutte le mattine, ricordo.

– Benissimo. Sì, a volte qualche inconveniente, ma più che altro conflitti elettronici. Ultimamente si era rotta la lancetta della benzina, per esempio. Segnava sempre mezzo pieno, qualsiasi fosse il livello. Ma quello basta saperlo, non c'è bisogno di regalare duecento euro all'elettrauto…

– La denuncia alle autorità l'avrà già fatta, giusto? Le hanno detto qualcosa?

– Mah, niente di particolare. Adesso indagheranno.

– Ma sì, vedrà che gliela ritrovano. Al giorno d'oggi le automobili si tracciano con facilità. Speriamo solo che non la usino per una rapina.

– Eh?

– Eh sì, caro lei. Se gliel'hanno presa per fare una rapina, poi la cosa più probabile è che per non lasciare tracce decidano di bruciarla. E allora addio.

– Sì, ma… lei pensa che potrebbero averla presa per fare una rapina? In fondo è una vecchia macchinetta un po' scassata. Una Peugeot di tredici anni fa.

– Appunto. Una Peugeot 206 color argento. Un modello comunissimo. L'ideale, per non dare nell'occhio.

– L'ideale per non dare nell'occhio?

Le mani appoggiate sui fianchi, la testa sporgente in avanti, la bocca socchiusa con la mascella lievemente protesa, il Gobbo aveva guardato l'automobile. Al momento del fatto (cioè una trentina di ore prima) questo si sarebbe potuto desumere con certezza dalla posizione del corpo e della testa, visto che dei due occhi uno solo stava guardando l'auto, mentre l'altro puntava quasi ortogonalmente verso il Monte Serra.

– L'ideale per non dare nell'occhio?

E, sulla parola «occhio», il Gobbo si era voltato e aveva guardato Costantino dritto (si fa per dire) nello stesso posto. A Costantino, in un altro momento, sarebbe venuto da ridere.

– Be', sì – aveva provato ad argomentare. – È una macchina comunissima. Ho guardato su Internet. È in assoluto la macchina più venduta tra Pisa e dintorni.

– Ha guardato su Internet, lui – aveva detto il Gobbo, rivolto a Gutta, il quale da parte sua stava guardando Costantino con la solita aria di schifata impassibilità. – Senti, Beppegrillo, oltre a guardare su Internet gliel'hai data anche un'occhiatina per conto tuo?

– Non vedo cosa ci sia che non va. Cercavamo un modello comune, giusto? Questa è l'automobile più comune di tutta la provincia.

– È l'automobile più *stretta* di tutta la provincia. Anzi, di tutto l'universo. Già che c'eri potevi prendere una Smart, così per fare la rapina Gutta doveva venire a piedi. Io cosa ci porto via con quest'aggeggio, me lo dici?

– Ma guarda che il bagagliaio è capiente. Sono quasi quattrocento litri.

– Fantastico! Hai sentito, Gutta? Quasi quattrocento litri. Meraviglioso. Il giorno che dovremo rapinare la centrale del latte questo sarà l'automezzo ideale, ne sono convinto. Peccato che stasera avevamo detto di cominciare con una casa. Una bella casa piena di roba. Io mi aspetto che tu arrivi con un furgoncino, una station-wagon, una giardinetta, chiamala come cavolo vuoi, ma il concetto che intendevo è che ci vuole qualcosa di *capiente*. La macchina serve per andare a prendere della refurtiva, non per andare a prendere l'aperitivo, e che cavolo. Con quest'affare – e il Gobbo aveva indicato la povera Peugeot 206 a mano aperta – cosa ci porto via? Giusto i quadri. E speriamo che le cornici siano sottili.

Era seguito un momento di comprensibile imbarazzo, nel quale per la centesima volta da quando era cominciata quella storia Costantino si diede del cretino.

Da due settimane prima, per essere precisi: quando Ottaviano Maltinti, detto Costantino, perito elettronico con la passione per i giochi di prestigio e per il poker, si era seduto al tavolo per la partitina del giovedì e si era ritrovato davanti il Gobbo.

Di solito, a quel tavolo oltre a Costantino si trovavano Marcello Cioni, apprendista macellaio presso la Rinomata Norcineria di Orzignano, Davide Taddei, perito informatico della Società Autostrade, e un quarto elemento più o meno variabile in sostituzione del povero Loni, geometra comunale. In origine, difatti, il quartetto aveva composizione più o meno fissa: quattro ex compagni di scuola dalla passione per le cinque carte in mano, la cui conoscenza si era mano a mano consolidata senza approfondirsi, a partire dalla seconda periti.

Quando Ottaviano Maltinti era andato in prima liceo, infatti, era alto un metro e cinquantanove e pesava suppergiù quarantacinque chili. Quel nome di battesimo magniloquente, unito ad un fisico da sanatorio, aveva indotto i suoi stronzissimi compagni di classe a creare storpiature e simpatiche rimette come «Ottaviano, l'ottavo nano». E così Ottaviano, stufo di venire chiamato Ottavonano e di tutte le altre angherie, aveva cambiato scuola ed era andato all'istituto tecnico, dove era stato accolto con una sana partita a calcetto dai suoi nuovi compagni di classe. Tutti maschi, quasi tutti bravi ragazzi, e quasi tutti suoi futuri amici, ma rozzi come solo un quindicenne in libera uscita; e così, all'ennesima bestemmia del portiere dopo che aveva preso il terzo gol sotto la pancia, il nostro aveva replicato per l'ennesima volta:

– Se sei scarso Nostro Signore non c'entra niente, smettila di bestemmiare e concentrati un attimo.

In tutta risposta, il portiere (che non era altro se non il povero Loni, quando ancora non era sposato) gli aveva risposto, da trenta metri:

– Eccoci, Sua Santità ha emanato l'editto. Altro che Ottaviano, te sei ma Costantino.

E così, anche se nella vita di tutti i giorni continuava ad essere chiamato Ottaviano, per gli amici da quel giorno era diventato Costantino, senza troppo rimpianto da parte sua e con grande divertimento del Loni.

Ma da quando il Loni si era sposato le sue defezioni, prima sporadiche, erano diventate inesorabili, tanto che gli altri tre ormai non gli telefonavano nemmeno più e ne parlavano, quando capitava, nominandolo spontaneamente come «il povero Loni» e chiacchierandone come se fosse defunto a tutti gli effetti. E chiamando, di volta in volta, chi capitava per riempire il buco, clienti o colleghi che fossero.

Raramente, accadeva che il sostituto a sua volta inciampasse in un imprevisto dell'ultimo centesimo di secondo, delegando in propria vece un sostituto al quadrato. A volte capitava uno simpatico, a volte uno un po' meno. Ma uno che a Costantino stesse immediatamente sui coglioni come questo tizio strabico non era capitato mai. Un po' per l'aspetto – lo so, non si dovrebbe giudicare una persona dall'aspetto, ma se uno ti arriva con i basettoni a punta, la camicia con il colletto sopra la giacca e gli stivaletti di pelle di serpente certi giudizi sono automatici –, ma soprattutto per la parlantina. Perché questo tizio non si chetava mai. *Mai*. Né quando dava le carte né quando le guardava, né quando puntava né quando, ritrovandosi con carte misere, decideva di non partecipare alla mano.

Ora, va bene che il poker è un gioco parlato, ma lì si esagerava.

E quindi Costantino, che con gli amici non aveva mai nemmeno pensato di usare la propria abilità di prestidigitatore, dopo una mezz'oretta di discorsi ininterrotti aveva deciso di divertirsi un po'.

Un paio di ore dopo, quando si erano alzati, il Cioni e il Taddei erano visibilmente allegrotti: un po' le birre, un po' il centinaio di euro che erano transitati dalle tasche del tamarro coi basettoni a quelle dei due sodali con l'aiuto di Costantino, il quale aveva deciso di regolare la qualità delle carte non per vincere lui stesso, quanto per far perdere il tanghero ed essere così sicuro di non vederselo mai più davanti allo stesso tavolo. Il tamarro, va detto, aveva perso con signorilità, aveva salutato i tre e se ne era andato con aria pensosa, ma serena: la stessa aria serena che aveva manifestato dieci minuti dopo, incontrando Costantino apparentemente per caso appena fuori da casa del Cioni.

Purtroppo, il tipo che lo accompagnava non manifestava esattamente la stessa serenità d'animo, e il fatto che gli mancasse un pezzo d'orecchio faceva risaltare la cosa in modo piuttosto preoccupante.

– Bellino quel giochino che hai fatto prima con le dita – aveva detto il tamarro, sorridendo.

– Quale giochino? – aveva risposto Costantino, mentre sentiva che la bocca, nonostante le due birre, gli era improvvisamente diventata secca.

– Quello lì che hai fatto col mazzo, prima. Quando a me le carte le prendevi dal fondo del mazzo, mentre al tipo a destra le davi dal mezzo. Lì dove tenevi l'anulare a fare da segnaposto. È veramente bellino, guarda. Complimenti. Anche lui sa fare un giochino bellino con le dita – aveva continuato il tamarro, indicando il tipo senza un pezzo d'orecchio. – Con le tue dita, s'intende. Vuoi che te lo descriva, oppure parliamo subito d'altro?

Nel dire questa frase, il tamarro non aveva cambiato assolutamente tono di voce. Solo, nel modo in cui aveva accennato al suo compare, c'era un qualcosa che indicava senza possibilità di errore che se Costantino avesse tentato in qualche modo di discolparsi o di difendersi, dal giorno successivo avrebbe dovuto imparare a usare il telecomando con il naso.

– Va bene. Facciamo così: ti ridò subito quello che hai perso, e non ne...

– Ma figurati, per così poco. Un centinaio di euro, centosette ad essere precisi, cosa vuoi che sia. No, a me interessava sapere un'altra cosa. Ho capito bene che te lavori in una ditta di allarmi?

– Lavoravo. Avevo un contratto a tempo determinato. È scaduto due mesi fa.

Il Gobbo aveva scosso la testa, solidale.

– Che peccato. Uno che sa fare così tante cose, e una ditta se ne priva così, senza pensarci un attimo. È un peccato, addestrare una persona e poi lasciarla andare via. Perdi un capitale umano, e tutte le competenze che gli hai insegnato. Sono quelle che contano. E uno come te di competenze ne ha da vendere. Per esempio, uno come te che si intende di sistemi di allarme, e fa così bene tutti quei giochini con le carte, per caso sa armeggiare anche con le serrature?

«... e quindi, probabilmente, là dove un altro ennesimo libro su Turing sarebbe risultato scontato ed anestetico, il fumetto di Tuono Pettinato e Francesca Riccioni riesce invece ad essere efficace, fino quasi a farci vergognare di una colpa non nostra. Tralasciando i vari altri colpi di genio disseminati nell'opera, ce n'è uno, in particolare, che colpisce: il ritratto di un Turing giovane e concentratissimo che legge un libro che si intitola How to beat the Na-

zis, *sotto una didascalia che ricorda che, nel frattempo, "un gruppo di secchioni stava cercando il modo di fermare l'avanzata di Hitler". Ecco, se oggi non parliamo tutti tedesco e non camminiamo col passo dell'oca lo dobbiamo principalmente a questo stravagante finocchio britannico e alla sua mostruosa cultura, curiosità ed intelligenza. E a quelle persone che ebbero fiducia in lui, e a soli ventisette anni lo misero a capo di Bletcheley Park. Anni luce di distanza dal nostro bellissimo paese, il paese di Galileo e di Leonardo...».*

– Leonardo!

Leonardo si voltò. In piedi di fronte a lui, col grembiule di cuoio con scritto «Buon appetito» e avviluppata dall'odore di fritto appena fatto, Letizia lo guardò con curiosità.

– Arrivo Leti. Chiudo un attimo qui...

– Io non lo userei il computer del lavoro per fare il blog, se fossi in te – disse Letizia, avviandosi sulle scale. – Se Tenasso se ne accorge ti rompe i coglioni da qui al prossimo Papa.

– Ma cosa vuoi che se ne accorga, dai, Letizia.

– Vero. Come stamani, che t'ha sborniato che gli avevi detto che il treno era in ritardo.

– Guarda, lascia perdere. Quello che ci voleva per completare il fine settimana. Prima la macchina rubata, e poi 'sta scalogna assurda del treno – rispose Leonardo arrivando in fondo alle scale, dove lo attendeva la sorgente del profumo, ovvero una cartata di verdurine prefritte di quelle che poi vanno rifritte. – Che poi la cosa che mi rompe lo sai qual è?

– Non poterteli mangiare tutti perché sennò ingrassi dell'altro?

– Shpirito'a – disse Leonardo, sconfiggendo il primo fiore fritto in meno di due secondi. – No, la cosa che mi fa veramente incavolare è che stavolta aveva ragione. Pienamente ragione.

Qui Leonardo si interruppe, per inglobare un ulteriore frittino, mentre Letizia andava in cucina a prendere il resto – pepite di pollo al forno, purè e insalata, tutta roba freschissima appena tolta dalla busta. Tempo di preparazione dieci minuti netti, come sottolineò Leonardo con sottintesa allegria:

– Ooh, la cena dei becchi. Che bellezza. Una birretta c'è mica?

– Senti, amore mio che fa il critico letterario, io oggi avevo il consiglio di classe alle due e poi ricevimento fino alle sette – disse Letizia, portando in mano due bottiglie di Corona. – La prossima volta, invece di stare lì a deliziare i tuoi due lettori e mezzo ti metti il grembiulone e mi dai una mano. Così magari eviti di fare il blog sul portatile di lavoro ed eviti di dare a Tenasso una scusa ulteriore per farti il mazzo.

Leonardo, mentre si metteva in bocca un frittino, alzò la testa per guardare la neomoglie.

In natura, come si sa, gli opposti si attraggono e si stabilizzano grazie alla loro mutua interazione. Una carica elettrica positiva non trova pace finché non si appiccica alla sua controparte negativa, e un attaccante non è mai così realizzato come quando si dirige verso un portiere. Allo stesso modo Leonardo, ovvero un lettore bulimico, casinista integrale e capace di livelli di distrazione patologici, aveva trovato il proprio equilibrio grazie a Letizia: una ragazza dolce e determinata, dal sorriso mediterraneo e dalla disciplina austroungarica, che insegnava lettere e leggeva solo gialli. Diversi in tutto, salvo che nella reciproca convinzione che l'altro fosse la persona giusta con cui tentare di guadare indenni tutta la vita che avevano davanti.

– Hmgr – glissò Leonardo. – Hmgr. 'Om'è an'ata ofgi il 'iceimento?

– Se magari me ne lasci uno mi fai un favore, grazie – disse Letizia carpendo un superstite. – Come sempre. Le solite cinquantenni che di mestiere fanno la moglie dell'avvocato che vengono lì a spiegarti quanto studia il loro figliolo. E te lì a spiegargli che se studia così tanto allora vuol dire che dev'essere duro come il muro, a giudicare dai risultati che vedi. Del resto, da una mamma così cosa ti devi aspettare? È chiaro che ogni albero dà i suoi frutti.

– Davvero... – empatizzò Leonardo, prendendosi un ulteriore fritto proibito.

– Che poi il casino è che questi bimbetti non hanno disciplina. Non hanno rispetto di niente e di nessuno. Oggi, tipo, mi ha raccontato la Giannetti che mentre era un attimo fuori a fare una fotocopia è entrato il preside. Casino mostruoso, te lo puoi immaginare. Addirittura, c'erano due che ballavano su un banco. Il preside è entrato, e li ha fulminati con lo sguardo. E loro nulla. Allora il Manfredonia ha tirato una manata sulla cattedra e ha urlato: «Oh ragazzi, ma lo sapete mica dove siamo?». E uno dei due, continuando a ballare, fa: «Bimbi, oggi ir preside è di nòvo briào. 'Un si riòrda nemmeno dov'è!».

Leonardo incominciò a ridere, sbuffando pastella.

– Ma il problema non è quello – continuò Letizia, dopo che ebbe smesso di ridere anche lei. – Il problema è che poi 'sti criminali alla Giannetti gliel'hanno raccontato, quando è tornata. Tranquilli, anzi, orgogliosi. Non avevano minimamente il sospetto che quella potesse fargli rapporto. Rispetto zero.

– Ora, seriamente parlando, li capisco – disse Leonardo, cominciando a riempirsi il piatto. – Il rispetto te lo guadagni.

– Ho capito, ma è il preside, Leo.

– Ma chi, il preside Manfredonia? Quello col riporto tinto di nero che guarda il culo a tutte le studentesse in minigonna manco fosse uscito di galera ieri? Quello che sbaglia i congiuntivi anche quando russa? Via, Leti, per piacere. Il rispetto è rispetto per la persona. Se gli metti davanti uno ridicolo, è chiaro che non lo rispettano.

– Quando andavamo a scuola noi era diverso.

– Eh, come no. Te lo ricordi cosa succedeva in classe nostra quando entrava la Pastora?

Silenzio. Retroattivo, certo. L'unico tipo di silenzio possibile quando entrava nel discorso Alberta Mareggini detta la Pastora, mitologica insegnante di disegno, nel corso delle cui cosiddette lezioni Leonardo e Letizia, insieme ai loro compagni di classe, avevano giocato a carte e a pallone, organizzato e svolto tornei di freccette e girato un documentario abusivo dal titolo «Quinta ora: disegno» con tanto di interviste al bidello.

– E cosa succedeva quando entrava la Testa, invece, te te lo ricordi?

– Me lo ricordo sì. Ma mi stai dando ragione. Noi la Testa la rispettavamo. E perché la rispettavamo?

– Perché era un sergente austroungarico con l'elmetto di ferro.

– No. In primo luogo, perché era brava. Secondariamente, era un sergente con l'elmetto di ferro che non sbraitava, ma puniva. Arrivavi trenta secondi in ritardo? Restavi fuori di classe. E dovevi farti fare il permesso di entrata dai tuoi. Te lo ricordi il Paglianti?

Silenzio, di nuovo. Doveroso, per ricordare Federico Paglianti, che al terzo anno si era visto rimandare a settembre in matematica con cinque e aveva passato un'estate spensierata a non fare una mazza «perché tanto con una materia data col cinque nessuno ha il coraggio di bocciarti». Purtroppo la Testa, a settembre, si travestì da Ulisse, e il Paglianti venne mandato in collegio dai salesiani, dove si diplomò con ottimi voti anche se con un annetto di ritardo.

– La Testa le prometteva e poi agiva. Di una così avevi rispetto. Anche perché ti insegnava davvero qualcosa. Ma come faccio ad avere rispetto di Manfredonia, che insegnava italiano e non sa nemmeno parlare? Come faccio ad avere rispetto di Tenasso, che ne sa un decimo di me, che fa tanto il guru della sicurezza informatica e non s'accorge che ho sbloccato l'accesso ai siti porno su tutti i computer dell'azienda?

Letizia rimase con l'insalata infilzata alla forchetta.

– Cos'hai fatto te?

– Ho sbloccato l'accesso a tutti i siti sui computer della Leader. Con Ninja Cloak. È un attimo.

– Ma te sei scemo. Ora Tenasso secondo te quando se ne rende conto cosa fa?

– Primo, per rendersene conto Tenasso dovrebbe prima rendersi conto di essere vivo, e siccome è un ingegnere ci metterebbe comunque parecchio. Secondo, anche se se ne ammoscasse, l'ho fatto con un indirizzo IP americano. E tutte le volte che faccio qualcosa sui computer dell'azienda mi procuro un indirizzo nuovo. Mica si frigge con l'acqua, qui.

– Tutte le volte? Cioè, l'hai fatto anche altre volte?

– Una o due, cioè. Nel senso...

– Senti Leo, non mi piace. Già Tenasso t'ha preso di mira da quando sei entrato...

– Perché non mi metto la cravatta. Renditi conto...

– Perché non ti metti la cravatta, perché magari fai le cose meglio di lui ma glielo dici in faccia, perché te sei simpatico e lui è antipatico, mettila come vuoi. Ora è successa anche questa cosa del treno, dai. Vedi di non fare il cretino. Se proprio vuoi farmi vedere quanto sei bravo, guarda, entra nel sito di Equitalia e cancella la multa.

Leonardo, che si era alzato per andare a prendere l'apribottiglie, si fermò un attimo.

– La multa?

– Eh. Quella famosa che abbiamo preso la sera della laurea del Ferretti...

– Quella? Son passati tre anni – disse Leonardo, avviandosi tranquillo verso la cucina. – Pensavo fosse andata in prescrizione.

Una volta tornato dalla cucina, Leonardo aprì entrambe le birre e poi si sedette, soddisfatto.

– E comunque, «abbiamo» è un concetto relativo – riprese. – Quella che hai preso, quando sei entrata due o tre volte in zeta ti elle. Siamo precisi.

– Va bene, allora usiamo l'impersonale. È arrivata, e va pagata. Fai te.

Leonardo dette un sorso di birra, pensoso.

Nonostante le ventiquattro ore precedenti fossero state oggettivamente un tiro al bersaglio con proiettili di guano, Leonardo era fondamentalmente una persona ottimista, e già adesso si sentiva un pochino più sereno. Merito del ritorno a casa, certo, del suo amato blog, della ex ragazza da poco diventata moglie, della primavera in arrivo. Tutte cose di fronte a cui piccolezze come il furto dell'auto assumevano la giusta dimensione.

– Bel periodino, certo. Prima mi rubano la macchina, e ora mi tocca anche pagarci una multa sopra. Be' – disse quindi, prendendo in mano la lettera di Equitalia – peggio di così non dovrebbe andare.

– Pronto zio? Ciao, senti, sono Letizia...

Dall'altra parte del telefono l'avvocato Paolo Chioccioli, zio di Letizia, rispose allegramente.

– Pronto, Letizia! Bello sentirti. Come stai?

– Bene, bene. Senti...

– E Leonardo come sta? – chiese Paolo. Non solo per cortesia: il marito di sua nipote gli era sempre stato simpatico. Come a molti, del resto. – È la sua voce quella in sottofondo?

– Certo, certo, è Leo. E chi vuoi che sia?

– Sì, ora che sento anche le parole, lo riconosco meglio. Perché bestemmia?

– Eh, perché c'è arrivata una lettera... Una lettera da Equitalia...

– Ho capito, ho capito. Figurati se mi chiami mai per sentire come sto. Te non hai bisogno dello zio Paolo, hai bisogno dell'avvocato Chioccioli, vero?

– Eh sì, zio. È così.

– Dai, su. Cos'è?

– È... è una multa che abbiamo preso con la macchina.

– Allora, dammi un po' di dettagli. Da quant'è questa multa, con precisione?

Letizia prese un respiro.

– Eh, sono... sono tredicimilaottocentoventiquattro euro.

– *Cosa?*

– E zero zero centesimi. Per la precisione.

Lunedì pomeriggio

– Ha un documento?

Con calma simulata, Giacomo prese dalla tasca del giaccone il portafoglio e ne estrasse la patente. Accanto a lui, Paola accennò un sorriso tirato.

– Grazie. Allora, Mancini Giacomo, nato a Pisa il 29 gennaio…

La voce di Corinna si abbassò in un mormorio mentre le dita battevano le anagrafiche di Giacomo sulla tastiera del portatile, con un ritmo bizzarro. Terminata l'anagrafica, Corinna alzò lo sguardo.

Se Giacomo si fosse trovato nello stato d'animo adatto, probabilmente avrebbe notato che la ragazza aveva due occhi meravigliosi, nei quali il taglio a mandorla lievemente orientaleggiante e la pelle olivastra della palpebra contrastavano deliziosamente con la pupilla verde circoscritta da un anello bruno. Sarebbe seguito un breve momento di rimpianto per la differenza di età, piuttosto forte, e per la propria innegabile situazione matrimoniale, di intensità minore ma comunque non trascurabile.

Purtroppo, il fatto di aver trovato la propria casa devastata dai ladri al ritorno dalle vacanze lo rendeva poco propenso a notare le grazie muliebri. E il dover spiegare ad una estranea cos'era successo seduto in cucina non migliorava esattamente la situazione.

Un po' perché le merde, dopo avergli svuotato la casa e la cantina, non avevano risparmiato nemmeno la cucina, arrivando a fregarsi anche il robot e la macchina espresso. Ma soprattutto perché gli stronzi, dopo avergli portato via tutto tranne i fornelli, si erano tranquillamente messi a fare merenda con la roba che avevano trovato in frigo, come testimoniavano le briciole di pane, le bucce di pecorino e le due bottiglie vuote di champagne lasciate sul tavolo.

E quella, di tutte, era stata la cosa peggiore.

– Okay. Dunque, mi racconti quello che è successo quando è arrivato a casa.

– Sì. Siamo arrivati a casa stasera...

– Che ore erano?

– Le otto e mezzo, circa. Ho parcheggiato e...

– Come mai a quest'ora?

Giacomo si fermò un attimo. Prima che potesse aprire bocca, fortunatamente, parlò Paola. Che, le mani strette l'una dentro l'altra, evitava di guardarsi in giro e da quando si era seduta davanti a Corinna teneva lo sguardo fisso sul portatile.

– Eravamo di ritorno da un viaggio.

– Un viaggio. Siete stati lontano da casa molto?

– Un fine settimana – continuò Paola. – Da venerdì fino a oggi.

– Eravate lontano?

– A Villeneuve. In Provenza.

– In questo fine settimana c'era qualcuno in casa? Figli, donne delle pulizie...

– I miei figli vivono entrambi a Zurigo, studiano lì. Abbiamo un domestico, ma non dorme in casa nostra.

– O meglio, nelle ore notturne dorme a casa sua – intervenne Giacomo.

– Insomma – riprese Paola guardando Giacomo malissimo – comunque questo fine settimana gli avevamo detto che non c'era bisogno. Credo che non sia mai passato, e di sicuro se fosse passato e avesse visto tutto questo macello ci avrebbe chiamato.

– Sì, ci avrebbe telefonato di sicuro – ribadì Giacomo amaramente. – È la cosa che gli riesce meglio.

Mentre Paola guardava il marito peggio di prima, le dita di Corinna batterono a ritmo di mambo sulla tastiera per qualche secondo. Quindi, dopo aver controllato lo schermo, la poliziotta rialzò il capo.

– E allora. Siete arrivati, avete parcheggiato, e...

– E abbiamo visto subito che c'era qualcosa che non andava.

– La persiana del piano di sopra era aperta – specificò Paola. – Quando siamo andati via, avevamo chiuso tutti gli infissi. Lo facciamo sempre, anche quando usciamo per poche ore.

– A quel punto?

A quel punto, mentre Paola aveva trasferito dalle persiane a Giacomo uno sguardo atterrito, Giacomo si era sentito mancare le gambe. Ma questo non lo disse.

– A quel punto sono andato nel casotto degli attrezzi, ho preso una zappa e sono entrato in casa.

– Credeva che ci fosse sempre qualcuno? O le sembrava che ci fosse sempre qualcuno?

– No, ad essere sincero no. Era solo per prudenza. Se avessi avuto il minimo sospetto, avrei chiamato la polizia subito. Dunque, sono andato alla porta e...

– La porta era a posto? Chiusa, intatta...

– Signorina, se mi lascia parlare magari glielo stavo per dire – disse Giacomo, mentre Paola alzava gli occhi al cielo. A parte il resto, l'uso sbagliato dell'indicativo faceva presagire in modo inequivocabile cosa sarebbe successo da lì a poco.

– Prego.

– La porta era intatta. Ho aperto, e ho visto il disastro. La...

– Mi scusi, la porta si è aperta bene? Intendo, la serratura...

– No, ho dovuto usare la zappa. Certo che si è aperta bene! – E qui Giacomo, come previsto, si incazzò. – Se mi lascia parlare e non mi interrompe di continuo magari riesco anche a dirle, le cose! Cos'è, lo fate apposta, voi poliziotti, a interrompere le persone di continuo?

Proprio così, pensò Corinna. Così chi ci sta di fronte è costretto a pensare a quello che dice, se è sincero, oppure non riesce a ripetere la storiella che si è organizzato in testa e si confonde. Peccato che non possa dirtelo in faccia, caro signor Mancini.

– Intendevo se la porta era semplicemente chiusa, oppure se la serratura di sicurezza...

– No, la porta era chiusa bene, come l'avevo lasciata. I ladri non sono passati dalla porta. Sono entrati dalla finestra di sopra. Devono aver in qualche modo trovato la maniera di disinserire l'allarme. L'unica cosa minimamente raffinata che hanno fatto, gli stronzi. Poi, come sono entrati, hanno devastato. Rovesciato, squartato, divelto.

– Ho capito –. Corinna chiuse il computer. – Senta, adesso dovremmo fare un giro della casa. Dopo, le dovrò chiedere di elencarmi le cose che mancano. Per farlo, sarebbe meglio dare un'occhiata in giro, stanza per stanza, in modo che le mancanze più grosse le risultino subito. Ve la sentite?

Paola fece di sì con la testa, lentamente ma in modo deciso. Giacomo, senza voltarsi verso Corinna, annuì.

– Ecco, vede – disse Corinna, indicando un piccolo parallelepipedo bianco sotto la finestra. – Da qui hanno interrotto il circuito.

Il terzetto, al momento, si trovava sul terrazzo, davanti ad una porta-finestra da cui presumibilmente erano entrati i fetenti. Giacomo tolse lo sguardo dalla moglie, che stava appoggiata alla ringhiera, e mise a fuoco l'oggetto in questione. Il parallelepipedo, in realtà, era costituito da due mattoncini gemelli, tenuti insieme da quella che sembrava colla metallizzata; il pezzetto all'esterno aveva due fori sul lato, che ricordavano vagamente quelli di una presa elettrica.

– Questo – disse Corinna indicando il mattoncino incardinato al muro – è l'elemento dove passa la corrente, e quest'altro – disse indicando quello incollato – che dovrebbe restare avvitato all'infisso, è l'elemento di controllo. Fin quando i due sono a contatto, l'allarme non suona. Quando uno apre l'infisso, l'elemento di controllo si stacca e l'allarme suona.

Dopo una rapida occhiata a Paola, per controllare se anche lei stesse guardando (no), Giacomo tornò a concentrarsi su quel che gli stava indicando la poliziotta.

– I ladri hanno fatto due fori dentro la cornice dell'infisso, in corrispondenza delle due viti, vede? Quindi, hanno riempito i fori con dell'acido, e hanno aspettato che erodesse in parte le viti che lo tenevano. L'acido ha corroso le viti, assottigliandole, ma non la plastica, che con l'acido non reagisce. A quel punto hanno semplicemente sfilato le viti con una pinzetta.

Corinna indicò la congiunzione tra i due blocchetti.

– Prima, però, hanno infiltrato una colla piuttosto potente dentro la connessitura tra i due elementi, probabilmente con una siringa, in modo che non si staccassero. Solo dopo hanno sfilato le viti. In questo modo hanno potuto aprire la persiana tranquillamente: l'elemento di controllo era staccato dalla persiana, però è rimasto attaccato al suo gemello, e quindi l'allarme non poteva suonare. Vede?

L'indice di Corinna puntò verso la persiana, sulla cornice della quale risaltavano in concreto i due buchi di cui sopra. A Giacomo parve di sentire, nella voce della ragazza, una puntina di ammirazione per l'intelligenza del metodo usato, cosa che lo irritò ulteriormente.

– A quel punto, con un coltello hanno alzato il martinetto della persiana e hanno aperto. E l'allarme non aveva motivo di suonare.

– Perché i due elementi sono restati a contatto, ho capito. Sono dei professionisti, quindi.

Corinna scosse la testa.

– No, non direi. Almeno, non completamente. La persona che ha fatto questo lavoro ha una qualche competenza, ma...

– Ma?

Corinna guardò in basso, prima di rispondere.

– Torniamo un secondo in mansarda, le dispiace?

– Allora, dal salotto i ladri hanno portato via... – Corinna guardò il foglio – quattro dipinti ad olio, un televisore Sony trentasette pollici 3D, due libri antichi. Dalla cucina un robot Bimby, un forno a microonde, una macchina espresso, un certo numero di bottiglie di vino. Dallo studio un impianto stereo Bang&Olufsen, un computer portatile, due computer fissi, due serigrafie.

– Esatto. E quindi?

Corinna puntò l'unghia laccatissima verso una parete, che era occupata quasi per intero da un megaschermo da mafioso bielorusso.

– Questo è l'ultimo modello di home cinema della LG. Ottantaquattro pollici. Vale circa sedicimila euro. Non c'è molta coerenza, non vi sembra? Portano via un televisore, un robot da cucina e uno stereo, ma non questo. Vedo solo due motivi possibili.

– E sarebbe?

– Uno, non sono venuti fino in mansarda, ovvero non hanno visitato tutta la casa. Due, non avevano un mezzo abbastanza grande per portarlo via. In entrambi i casi, non credo si tratti di professionisti.

– Ho capito – disse Giacomo. – La solita banda di balordi rumeni che si sniffano la vernice e poi ti entrano in casa e la devastano.

– Ora vorrei sapere come fai a dire che sono rumeni... – disse Paola.

– Una volta su due sono rumeni. È un dato di fatto. Lei, agente, che fa questo lavoro: ho ragione o no?

Ora, è vero che Corinna era parecchio più alta di Giacomo, ma non certamente abbastanza da giustificare differenze climatiche tra i due. Eppure, nonostante dalle parti di Giacomo ci fossero più o meno venti gradi, la voce di Corinna uscì di parecchie tacche sotto lo zero.

– È vero, in Italia c'è pieno di criminali rumeni. Emigrano a frotte. Pare che sia perché in Italia possono veramente fare carriera. Se uno ruba tanto, pensi un po', potrebbe diventare anche presidente del consiglio. In Romania, invece, se rubi ti mettono in galera. Lei cosa farebbe?

– Paola...

In camera, Paola stava caricando nella sacca della lavanderia tutta la biancheria che i ladri avevano tirato fuori dai cassetti, a manciate contratte. In piedi sulla porta, Giacomo aveva acceso una sigaretta per darsi un contegno, e stava tentando di farsi considerare dalla moglie.

– Paola, senti, ma io come facevo a saperlo...

– Aveva il cartellino. Qui, sul petto.

– E chi l'ha guardato il cartellino sul petto...

– Tu, no. Si capisce. Eri troppo occupato a guardarle le puppe. Mettere a fuoco quello che c'era un centimetro prima ti avrebbe distratto, certo.

– E comunque cosa c'era scritto, sul cartellino? Poliziotta incazzosa?

– Stelea. C'era scritto «Stelea». È un cognome rumeno, lo capirebbero anche i gatti.

Giacomo restò un attimo in silenzio.

Paola aveva ragione. Mentre la moglie parlava, grazie al modo efficacissimo ma assolutamente incoerente con cui funziona spesso la nostra memoria gli era venuto in mente che Stelea (Bogdan Stelea, per la precisione) era il nome del portiere di riserva della Romania ai mondiali del '94 negli Stati Uniti. Alquanto opportunamente, non disse niente al riguardo. Però, siccome non riusciva a rimanere in silenzio, disse la cosa più ovvia che si poteva dire in quel momento:

– Sei arrabbiata per questo?

Paola, apparentemente continuando a brutalizzare la sacca, non rispose.

– Senti, mi dispiace. Però cristo santo, potrai capire che uno che ha subito un furto si senta un po' incavolato col mondo…

– E questo è un altro problema. Se ti succede qualcosa, tu invariabilmente te la prendi col primo che passa. Specialmente se non c'entra un tubo. Comunque no, non sono incavolata per questo.

– E allora?

Paola soffocò con malagrazia la sacca ficcandole in bocca un ultimo calzino, quindi la finì strangolandola per i manici. Mentre si avviava giù per le scale, con il cadavere stretto in mano, rispose:

– Lo sai benissimo per cosa sono arrabbiata. Per la stessa cosa per cui sei arrabbiato tu.

– E sarebbe?

Paola si fermò lentamente, guardando un attimo in terra. Quindi, rialzando gli occhi su Giacomo, chiarì:

– Cosa ti avevo chiesto prima di partire? Ti avevo chiesto se avevi salvato il romanzo da qualche parte. Cosa mi hai risposto te? «Sì, sì, l'ho salvato il romanzo, tranquilla. L'ho salvato sul computer fisso». E io, che sono la solita rompicoglioni, ti ho chiesto se per caso te l'eri anche spedito via posta elettronica, o se lo avevi salvato anche su Dropbox. E te cosa mi hai risposto?

Giacomo capì che era il suo turno di guardare in terra. Ovviamente, la domanda era retorica.

Non sarebbe stato il caso di ricordare che, nell'occasione, aveva risposto testualmente: «Mamma mia Paola, che palle che mi fai ogni tanto! Hai paura che ci rapinino la casa?».

Martedì mattina

Adagiato sulla propria pregiaterrima poltrona in pelle di animale che avrebbe meritato fine migliore, il dottor Corradini restava in silenzio, fissando apparentemente la foto che lo ritraeva mentre stringeva la mano al Presidente della Repubblica, debitamente incorniciata e appesa alla parete di fronte. Detta parete sopportava, oltre quest'ultima, una ventina di altre istantanee che ritraevano un dottor Corradini di età variabile, ma costantemente pelato, in compagnia di generali, politici, attori e persino un paio di pontefici; il tutto inframmezzato dagli inevitabili attestati e diplomi di benemerenza di cui la Persona che Conta Veramente Qualcosa a Questo Mondo non può fare assolutamente a meno.

Dopo qualche secondo, il dottor Corradini scosse lievemente la testa.

– Non se ne parla nemmeno.

Corinna – ovvero l'unica altra persona nella stanza, almeno in carne e ossa – pur tentando di non darlo a vedere, si irrigidì.

Non che prima fosse veramente rilassata, chiariamoci. Corinna non riusciva mai ad abbassare completamente la guardia, quando era in presenza del dottor Corradini. Nel signor questore, infatti, l'aspetto fisico e quello comportamentale agivano efficacemente in sinergia, dando come risultato uno degli esseri più viscidi che Madre Natura avesse mai messo in campo: un omone di un grasso malsano, dal cranio pelato picchiettato di nei e macchie grigiastre, le mani che tenevano viva l'attenzione di qualsiasi interlocutore tocchicciandolo in continuazione sui gomiti e lo sguardo uso a mettere a fuoco pochi occhi e molte chiappe. Era una fortuna per la scienza che Charles Darwin non avesse mai incontrato di persona il dottor Corradini, altrimenti ne avrebbe dedotto che gli esseri umani stavano regredendo verso i rettili e che tutte le sue elucubrazioni sull'evoluzione della specie fossero da buttare nel cesso.

– Potrei chiederle per quale motivo, dottore?

Il dottor Corradini non girò nemmeno la poltrona verso Corinna.

– Non sono tenuto a motivare il mio operato ai sottoposti, agente Stelea.

Sempre con una certa rigidezza, Corinna puntò lo sguardo sulle proprie mani. Che stavano incominciando a tremolare lievemente.

– Se proprio lo vuole sapere, comunque – continuò magnanimamente il dottor Corradini, sempre rivolto al Presidente – la vittima del furto, il signor Mancini, è una persona di una certa importanza.

– Lo so. Ho letto parecchi dei suoi libri.

E tu nemmeno uno, ci scommetterei una vertebra a caso.

69

– Vede – disse Corradini, ruotando la poltrona lentamente verso Corinna, ma non così tanto da guardarla in faccia – in casi come questi, io ho il dovere di fare in modo che le indagini vengano svolte in modo celere ed efficace.

Anche in tutti gli altri, veramente.

– Per cui – continuò il dottor Corradini, rivolto presumibilmente a D'Alema – per questo fascicolo d'indagine io ho bisogno di persone della cui esperienza possa fidarmi pienamente. Persone che siano in grado di svolgere il loro lavoro in modo rapido ed efficace.

– Sono d'accordo – disse Corinna, dopo un respiro profondo. – E credo che per lo stesso motivo sarebbe importante coinvolgere nell'indagine la persona che è entrata per prima sulla scena del crimine.

Cioè io. Non per scelta, d'accordo: il resto degli effettivi era a casa o in ospedale, vittima di un'infezione intestinale che aveva messo in ginocchio (ma anche parecchio a sedere) il novanta per cento del personale in servizio. L'infezione, presumibilmente, era stata causata dal cheesecake portato dal vicequestore Anniballe per festeggiare dieci anni di servizio, e rimasto a temperatura ambiente per tutta la giornata in attesa del signor questore, fermentando allegramente nel frattempo. Una volta arrivato, il signor questore non aveva assaggiato il dolce, in quanto allergico ai latticini, esattamente come Corinna: e, guarda caso, chi sono gli unici due in grado di andare a lavorare il giorno dopo?

– Quanto al modo di lavorare, posso assicurarle che farò tutto con la massima scrupolosità, sempre attenendomi agli ordini dei miei superiori e – sorriso falso come Giuda rivolto al dottor Corradini – ai consigli delle persone con più esperienza di me.

– Ecco, brava – disse il dottor Corradini, alzandosi dalla poltrona e ponendo di fatto fine al colloquio. – Si fidi di chi ha più esperienza di lei. Lei è giovane, ha tutto il futuro davanti per dimostrarmi quanto è brava. Per questa volta lasci fare a chi è più esperto. Casomai osservi. Guardi dalla sua posizione quello che fanno i suoi colleghi, come si muovono, e impari –. E, accompagnando Corinna verso la porta, cercò di sembrare entusiasta per lei. – Adesso, su, torniamo al lavoro tutti e due, che prima che arrivino i rinforzi... Che cosa ci tocca oggi?

– Centralino.

– Ora non si butti giù così, agente Stelea. Cosa crede, che io vada a divertirmi adesso? – Il dottor Corradini guardò l'ora su un Reverso che doveva costare come minimo due o tre stipendi. Di Corinna, certo. – A lei il centralino, agente, e a me invece adesso tocca il sindaco. Che si lamenterà per un'ora perché non presidiamo piazza delle Vettovaglie, e quando gli spiegherò che per farlo dovrei mettere delle telecamere mi dirà che non si può per via della privacy. A ognuno, il suo.

– A ognuno il suo, s'è già detto. Cominciamo con ordine.

Il Gobbo indicò con la penna l'impianto stereo, che stava aspettando pazientemente il proprio turno, consapevole di essere uno degli oggetti di maggior valore.

– Lo stereo ce lo prende Donciu, un amico di Gutta. Che ci dà...

– Millecinque.

– Mille e cinquecento –. Il Gobbo prese il bloc-notes, impugnò la penna come se fosse un mestolo e accanto alla voce «Bang e Olzen» scrisse un grosso 1.500 con grafia lenta e ben calcata. – Le cose da cucina, idem. E per tutto ci dà...

– Ottocento. Robot, forno a microonde, macchina per il caffè, ottocento.

Altre tre cifre, grosse e decise, si incolonnarono sotto le prime. Quindi, trasformato il mestolo in bacchetta, il Gobbo indicò le casse di vino.

– Poi. Per le bottiglie, ci vuole qualcuno che non chieda troppe bolle di accompagnamento. Un qualche ristoratore di quelli furbetti, sai, uno di quelli che magari dopo qualche volta che ci vai ti strizzano l'occhio e ti dicono «noi a volte il martedì si fa la pasta sui datteri di mare». Uno così, insomma. Te ne conosci?

– Non saprei – disse Costantino, dopo aver fatto finta di pensarci qualche secondo. – C'erano dei miei amici che andavano spesso da Ivano, sotto i portici. Se ho capito bene, potrebbe essere il tipo giusto. Grosso giocatore d'azzardo, fra l'altro. Il classico personaggio giovialone, mi dicevano, che se vedeva il tipo cominciava a farti il conto sulla tovaglia, ti toglieva dieci euro e poi figurati se vai a chiedere la ricevuta a uno che ti ha appena trattato da amico.

In realtà, Costantino conosceva perfettamente Ivano: ci era andato a cena almeno una trentina di volte, e da vari particolari (tra cui il fatto di non aver mai visto uno scontrino) aveva desunto che Ivano sarebbe stato esattamente il tipo da non farsi troppe domande se qualcuno gli avesse proposto ventisei bottiglie di La Tâche, Château Chalon e altre rarità francesi esentasse. Il problema qui era che Costantino sperava che la sua, diciamo così, collaborazione col Gobbo restasse il più possibile circoscritta sia come durata temporale sia come numero di persone a conoscenza della cosa, e non moriva esattamente dalla voglia di presentare il Gobbo a Ivano. Al di là del fatto che non avrebbe avuto mai più il coraggio di ritornarci a cena, non era furbo mostrare di essere in affari col Gobbo all'unico essere umano di Pisa e dintorni in grado di parlare più del Gobbo stesso, e che per di più aveva un locale pubblico.

Il Gobbo guardò Costantino.

– Hm. Ivano sotto i portici. Mi piace. Allora si prova da lui?

– Per me... – disse Costantino. – Il problema è: come fai?

– E che ci vuole? Una sera ci vado a cena, ci faccio due discorsi, e poi gli racconto che ho avuto un'eredità, che io di tutti questi vini non so che farmene perché non ci capisco nulla però mi hanno detto che potrebbero avere un gran valore, e io allora sono andato su Internet e ho visto che è vero. Mi segno qualche nome di vino su un foglio, quelli più pregiati, per fargli venire un po' l'acquolina. Se lo vedo interessato, ripasso il giorno dopo e gli lascio la lista completa, con un prezzo. Il prezzo lo prepariamo su Internet, guardiamo un po' quanto costa questa roba e facciamo una stima. Lui dirà che non esiste, che tutti quei soldi non ce li ha, che lui li può comprare solo per sé perché in negozio non può mica somministrare delle bottiglie prese in quel modo, e mi proporrà di comprarmeli a metà prezzo. Io a quel punto lo ringrazio e gli chiedo se conosce altre persone a cui potrebbe interessare, e lui mi dirà che è un momentaccio e che la gente non ci investe più tutte queste cifre in vino.

Il Gobbo si accese una sigaretta.

– Poi, due giorni dopo, ci ripasso a cena e gli dico che se vuole ci si viene incontro a metà fra la proposta sua e la mia. E la cosa è fatta.

– E ne sei sicuro?

Sbuffando fumo, il Gobbo fece lentamente di sì.

– Guarda, Costantino, impara una cosa: alla gente gli rode più di perdere dieci euro di quanto non gli faccia piacere guadagnarne cinquanta. Quando perdi del tuo, ti girano i coglioni. Per vendere una cosa devi prima di tutto far capire all'acquirente che è già sua. Che è moralmente sua. Che è giusto che sia così. A quel punto è fatta.

– Moralmente sua? Non ti seguo.

Il Gobbo si alzò in piedi, rimboccandosi la camicia dentro i pantaloni.

– Vedi, Costantino, è tutta questione di chi ti trovi davanti. Secondo te io sembro uno di questi raffinatoni che si intendono di vini?

– Per nulla.

– Appunto. Se uno come me va da questo tipo e gli fa vedere la lista, gli dice che non ci capisce nulla e che li vuole vendere, questo tipo che ci muore dietro ai vini per prima cosa inizierà a pensare che non è giusto che questo grezzo rivestito abbia per le mani tutta questa bella robina. Questo tipo sente di avere il diritto morale di averle lui, queste bottiglie. Lo fa star male che ce le abbia io. Mi ci vede già, stravaccato sul mio divano con le molle sicuramente sfondate, che me le scolo con la porchetta dell'ambulante, magari mentre mi guardo Lumezzane-Cittadella in differita. A quel punto è solo questione di mettersi d'accordo sul prezzo. L'unica cosa è che vi dovete fidare. Ci devo andare da solo, va bene?

L'ultima domanda era vistosamente retorica, come segnalato anche dallo sguardo di Gutta. Ma andava bene, hai voglia se andava bene.

– Ora viene il difficile. E cioè i quadri, i gioielli e quella roba lì d'arte. Sui gioielli sono tranquillo perché male che vada li vendi a peso, come oro vecchio, e nessuno ti chiede dove li hai presi. Sui quadri non lo so, occorre girare un po'. Prima di andare su questa roba, finiamo la tecnologia. Computer, come siamo messi?

– Non tanto bene, temo – disse Costantino.

– Che significa, non tanto bene? – chiese il Gobbo, roteando i bulbi. – Non erano nuovi?

– Anche troppo – rispose Costantino. – Questi sono tutti dei Mac di ultima generazione. Il che significa che sono protetti da una password. Per rivenderli andrebbero completamente riformattati, altrimenti non puoi usarli in nessun modo.

– E tu non lo sai fare?

– No, credo proprio di no. Non è esattamente il mio campo.

– Fantastico – disse il Gobbo, guardando l'elegante schermo ultrapiatto del Mac adagiato sul tavolo. – Ho rubato dei computer e mi ritrovo in mano dei vassoi. Bene, in qualche modo faremo. Almeno valgono qualcosa?

– Abbastanza. Questo qui nuovo costa circa duemila euro – disse Costantino indicando l'iMac da ventisette pollici. – Quest'altro millecinque, circa.

– E il portatile?

– Sì. È un MacBook pro. È da tredici pollici, è un modello di sei mesi fa...

– Per carità, Costantino. L'ho capito che conosci a memoria i prezzi di iMac, iPhone, MacBook e tutte queste altre segate elettroniche che servono per vederci i film porno gratis. Il fatto è che qui non lo vedo proprio, un portatile.

– Come no? L'ho preso io stesso. L'ho messo sotto il sedile della macchina.

– Arieccoci. Me lo ricordo bene che l'abbiamo preso. Il fatto è che non lo vedo qui.

Costantino si guardò intorno.

Nulla di quello che vide poteva essere definito «portatile»: anzi, tutto quello che si trovava ancora nella stanza era di dimensioni piuttosto ragguardevoli. Incluso Gutta, il quale lo stava guardando in modo velatamente ostile.

– O Gesù – disse Costantino. – Mi sa che...

– Ti sa che?

– Eh, hai presente quando s'è fermata la macchina e abbiamo fatto il trasbordo?

In effetti, la rapina aveva avuto un epilogo imprevisto: nel senso che la 206 era rimasta senza benzina, nonostante la lancetta indicasse che il serbatoio era mezzo pieno, e il Gobbo era dovuto andare a prendere la sua automobile mentre Costantino e (soprattutto) Gutta rimanevano a guardia della refurtiva.

– Eravamo parecchio di fretta – continuò Costantino – e mi sa che il portatile è rimasto lì...

Il Gobbo puntò lo sguardo verso Costantino.

– Bene, Costantino. Chi non ha testa abbia gambe. Te lo ricordi dove abbiamo lasciato la macchina?

– Certo. Sì, certo. L'abbiamo lasciata nel parcheggio della vecchia Co...

Il Gobbo portò il suo globo oculare a venti centimetri dal viso di Costantino.

– Non mi interessa che tu faccia bene l'interrogazione. Mi interessa che tu ti sbrighi. Vai immediatamente a riprendere questo cazzo di portatile.

A ognuno il suo?

Mamma mia, quanto sarebbe stato bello rispondergli a tono.

E, invece, le toccava rispondere a tutto il resto del mondo.

Polizia di Stato buongiorno. Come dice? Il suo vicino tiene la musica troppo alta? Lei non riesce a dormire? Mi scusi, ma è mezzogiorno. Ah, lei fa il turno di notte. Vedo se riesco a mandarle una pattuglia. Mi lascia l'indirizzo? Polizia di Stato buongiorno. Come, scusi? La sua vicina di casa l'ha offesa? Quindi l'ha chiamata in modo ingiurioso? No. Come, con atti offensivi? A gesti, quindi? Il dito, per intendersi... Ah. No, signora. Quello è suo diritto. Della sua vicina, intendo. No, signora, è lei che non ha diritto di entrare in case altrui se il proprietario non acconsente. No, signora, nemmeno per dire il rosario. Capisco le sue intenzioni, signora, e le trovo lodevoli, ma se gli altri sono cattivi e non la fanno entrare in casa l'unica cosa che può fare è pregare per loro. Polizia di Stato buongiorno. Come? Beata lei. Ah, capisco. Quindi si fa pagare. E lei è in grado di provarlo? Capisco. Capisco, signore, ma i costumi della sua vicina di casa in materia sessuale non sono affar nostro, e nemmeno suo. Sì, bravo, provi coi carabinieri. Polizia di Stato buongiorno. Come? Vuole sapere se abbiamo novità sulla sua auto? Chiezzi, Peugeot 206 color argento?

Corinna staccò un foglietto rosa dall'angolo del computer, che una mano frettolosa aveva appiccicato lì qualche minuto prima. Be', finalmente. Almeno poteva dare una buona notizia.

– Sì, signora Chiezzi. Ci sono novità. Sembra che la sua vettura sia stata ritrovata. Può passare dalla questura?

– Ho sentito bene? Le hanno ritrovato la macchina?

L'ing. Tenasso si era materializzato accanto a Leonardo qualche secondo prima, senza dubbio per ricordargli che era contro il regolamento fare/ricevere chiamate telefoniche a scopo privato nel corso dell'orario di lavoro; ma, una volta captato l'argomento della conversazione, sembrava disposto a dimostrarsi comprensivo.

– Eh sì. Pare proprio di sì. L'hanno abbandonata in un parcheggio di un supermercato in disuso. Mia moglie è andata a riprenderla proprio adesso.

– Bene. Così può ricominciare a venire al lavoro in auto –. Tenasso ridacchiò, per quel poco che il nodo della cravatta gli permetteva. – Le toccherà inventare uno sciopero dei benzinai, la prossima volta che arriva in ritardo.

– Eh, ci vorrà ancora un po' – sospirò Leonardo, mentre si chiedeva per quale motivo Tenasso non riuscisse mai a rinunciare a queste osservazioni. – Non posso usarla, l'automobile, in questo momento. Mi sono arrivate le ganasce fiscali.

– Ah. Si è beccato un fermo amministrativo, eh? Multa non pagata?

– Esatto. Fra l'altro, un'assurdità. Guardi, non mi ci faccia pensare. E non è finita qui. Lei pensi che...

– Io penso che c'è tanto da fare. Noi stiamo qui a fare discorsi, e intanto il mondo gira. Se quando ha finito di pensare ai casi suoi mi può mandare quei file che le ho chiesto prima mi fa un favore. Grazie.

Mercoledì mattina

Un pendolo è un oggetto il cui comportamento è molto facile da prevedere.

Un qualsiasi peso attaccato in fondo a un filo (o distribuito lungo un'asta la cui estremità superiore sia fissata a un perno) non potrà fare altro, quando perturbato dal suo stato di equilibrio, se non oscillare da una parte all'altra, smorzando man mano l'ampiezza del proprio moto. Qualsiasi oggetto che possa essere descritto come sopra è destinato, prima o poi, a soggiacere a questo inesorabile penzolìo smorzato: la regola, purtroppo, vale anche se l'oggetto ha natura biologica ed è vincolato ad un inguine, il che ha conseguenze molto, molto tristi.

Un pendolo semplice, dicevamo, ha un comportamento semplice e lineare: ma se in fondo al primo pendolo ne attaccate un secondo, se in fondo ad un'asta che pende ne incardinate una seconda e poi, dopo aver sollevato il tutto, lo lasciate cadere, la semplicità di cui parlavamo prima potete scordarvela. Un doppio pendolo, nonostante la sua apparente semplicità, è quello che in fisica si definisce «sistema caotico»: ovvero un sistema che, se si cambiano anche in modo infinitesimale le condizioni di partenza, esibisce comportamenti completamente differenti fra loro, e non prevedibili sulla base delle condizioni iniziali. Basta alzare uno dei due perni un filino di più, o di meno, e la traiettoria che traccerà il nostro pendolo potrebbe non assomigliare minimamente a quelle precedenti.

Da un punto di vista fisico, un giocatore di golf è un doppio pendolo: una prima asta (le braccia fino al gomito) su cui è incernierata una seconda asta (le braccia dal gomito al polso, le mani e la mazza). Un sistema, quindi, che per minime variazioni delle condizioni iniziali esibisce comportamenti assolutamente caotici.

Questa breve digressione di fisica classica, oltre a far vedere che l'autore è una persona di una certa qual cultura, ci aiuta a comprendere per quale motivo, mentre si incamminava verso la club house, Giacomo Mancini fosse incazzato nero.

– Ci beviamo qualcosa?
– È meglio, sì.
Virgilio dette sulla spalla dell'allievo una manata amichevole.
– Su, Giacomo, dai. A volte capitano le giornatacce. Sbagliando si impara.
– Allora oggi ho imparato un casino.
Virgilio dondolò la testa.
In effetti, nel corso dell'ora di lezione Giacomo si era mosso a trecentosessanta gradi, alternando palline mancate, sradicamenti di zolle grosse come orsi e apparenti tentativi di sterminio di tutte le specie nidificanti su-

gli alberi che delimitavano il fairway. Volendo a tutti i costi trovare un aspetto positivo nella prestazione di Giacomo, l'unica cosa che si poteva dire era che non aveva mai spedito la pallina all'indietro.

– Il tuo problema è che ancora non riesci a tenere la testa ferma – disse Virgilio, allungando la mano verso le noccioline.

Giacomo scosse la testa. Appunto.

– Il mio problema è che sono nervoso.

– Sì, quello lo sospettavo.

Giacomo guardò Virgilio. Il motivo principale per cui Giacomo andava d'accordo con il proprio istruttore di golf era il fatto che Virgilio non faceva domande inutili.

– Sono nervoso perché non so come risolvere questa faccenda del libro.

– Ma nulla? Assolutamente nulla?

– Niente. Non ho mai stampato una pagina, non me lo sono mai spedito per posta elettronica, non l'ho mai messo su Dropbox. Tutto quello che ho fatto è stato salvarlo sul computer fisso e su una penna USB che, siccome gli dèi ce l'hanno con me, al momento del furto stava attaccata al computer fisso di cui sopra.

– Preferisci che sospendiamo le lezioni, per qualche giorno?

– Per carità. Ho passato due giorni stoppinato in casa. Due giorni in cui Paola non ha smesso un attimo di pulire. Due giorni di fila a strusciare, spruzzare, spazzare e levare briciole. Ieri mattina ha trovato un pelo in bagno, e ha passato un'ora a strofinare. Se avesse potuto probabilmente avrebbe fatto brillare la tazza del cesso, ma con la dinamite.

Giacomo si abbandonò sullo schienale della poltroncina, sbuffando.

– Tutto questo, ovviamente, con Seelan che, nel medesimo arco di tempo, credo abbia spolverato due mensole, però in compenso sta fisso in mezzo ai coglioni. Passa, ti guarda, scuote la testa e sospira. Se mi levi questo paio d'ore di ossigeno al giorno, prima di venerdì va a finire che uno dei due lo strangolo.

– Ci credo –. Virgilio si prese un'altra manciata di noccioline. – Con la tua editor hai già parlato?

– No.

– Ah.

Appunto. Niente domande inutili.

– A casa!

In piedi, accanto al fornello, Letizia lo salutò con un cenno del mento. Le mani, del resto, erano occupate: la sinistra a girare le seppie coi piselli, la destra a reggere il telefono.

– ... sì, sì, per quello la macchina è in condizioni perfette, guarda. Come l'hanno presa, l'hanno lasciata. Oddio, completamente senza benzina, ma da dei ladri non è che uno si possa aspettare troppo riguardo. Anzi, ci hanno anche lasciato il regalino. Come, non te l'ha detto zio? Sì, esatto. Un computer sotto il sedile. Allora se lo sapevi perché me lo chiedi? Sì, ora ci lasciano dell'altro. Già va bene che abbiamo ritrovato la macchina, che di solito quando la usano per fare una rapina l'unica cosa che ci lasciano è un po' di benzina, ma non dentro, sopra. Poi un bel cerino acceso e via. Eh, ora non lo so. E si riporterà ai carabinieri, che si deve fare?

Da dietro allo sportello del frigorifero, la mano di Leonardo fece un gesto inequivocabile, invitando un interlocutore metaforico ad una immaginaria quanto improbabile fellatio.

– Sì, gli ho telefonato allo zio. Ora se ne sta occupando lui, ma di sicuro c'è un errore. Mamma, tredicimila euro di multa. Come posso averli presi secondo te? Sono entrata in una camera ardente su due ruote? Sì, su quello son d'accordo, quella macchina attira la sfiga. Che ti devo dire, la prossima volta la laverò con l'acqua benedetta. No, mamma, non sto bestemmiando. Senti, mamma, fra l'acqua benedetta e l'olio santo, a me sembra che bestemmino di più quelli che son convinti che Nostro Signore sia un farmacista. Eh. Senti, ora è tornato Leo, fra poco si cena. Sì, te lo saluto.

Sempre da dietro il frigo, le braccia di Leo salutarono la suocera come sempre, ricordandole dove si porta l'ombrello quando non piove.

– Sì, le seppie coi piselli. Cosa vuol dire, di nuovo? I piselli li avevo scongelati ieri... Sì, quelli freschi. Come no. Cosa faccio, vado in consiglio di classe con la conca e mi metto a sgranare i piselli? Già passo la giornata con delle fave, mettimici anche questa e siamo a posto. Senti, facciamo così: un giorno di questi vieni qui a cena. Vieni un po' prima, di pomeriggio, ti installi in cucina e fai tutto come Cristo comanda, e poi si cena tutti insieme, va bene?

Da dietro allo sportello, la mano di Leonardo si sporse mimando un paio di forbici, per trasformarsi subito dopo in una forchetta che si arrotolava.

– Sì, anch'io. Me lo saluti te? Grazie. Buona serata.

Letizia mise giù il telefono e guardò malissimo in direzione del frigo.

– Mamma mia quanto sei rozzo a volte.

– E me ne vanto – disse Leonardo, riemergendo dall'elettrodomestico con due birre in mano. – E comunque, Leo ai carabinieri non riporta proprio una bella sega.

– Te lo riporti, e anche subito. Io roba rubata in casa non ce la voglio.

– Non hai capito. Non me lo voglio tenere. Lo voglio restituire al legittimo proprietario – disse Leonardo, stappando. – Legittimo proprietario che magari si commuove e mi allunga una piccola ricompensa. Invece i carabinieri te lo prendono, ti ringraziano e ciao.

– Te sei scemo – troncò Letizia mentre metteva i piatti in tavola. – Quel computer come minimo è protetto da una password. Come tutti i portatili.

– Badalì, ci metto un attimo.

– Leo, ma a te ti farebbe piacere se uno sconosciuto ti aprisse il computer e ti ci guardasse dentro? E poi viene da te bello bello e ti dice «Buongiorno, ho aperto questo computer, ci ho ravanato un po' dentro e ho visto che è suo, per cui ho deciso di riportarglielo. Belline le sue nipotine, specialmente quella bionda. Quanti anni ha, otto?». Io ti strangolerei.

– Mh –. Leo si mise in bocca un pezzo di seppia, pensierosamente. Letizia non aveva tutti i torti. – Va be', dopo ci si pensa. Novità sulla multa?

– Eh, ho parlato ora con lo zio. Vuoi che ti faccia passare l'appetito o che ti blocchi la digestione?

Leonardo rimase con un pezzo di seppia appeso in punta.

– Così incasinata?

– Pare. Praticamente zio è andato da Equitalia...

Leonardo fece un cenno con la mano. Non era stata un'ottima idea, chiedere della multa.

– Senti, ora mangiamo tranquilli. Dopo cena telefono a tuo zio, così me lo racconta lui direttamente. Poi se ne parla e vediamo come evitare di farsi fregare. Ti va?

– A me non m'ha mai fregato nessuno.

Il Gobbo sottolineò il concetto prendendo le ultime patatine prima che Gutta potesse allungare la mano e mettendosele in bocca. Dopo i primi scrocchi, ricominciò a parlare.

– Figurati se ora mi faccio inchiappettare da questo bimbettino qui, con le password e tutto quanto. Questo che viene e dice che i computer non si possono vendere perché ci sono le password. E intanto uno dei computer non si trova. Se l'è dimenticato, dice lui. Quanto ci fai che se lo lascio fare poi fra due giorni si incarica lui di prendere i computer e di buttarli via, così non ci ritroviamo in giro prove compromettenti?

Gutta, visto che le patatine erano finite, aveva preso una manciata di noccioline nella sinistra e aveva incominciato a mettersele in bocca una ad una, con l'aria di quello a cui tocca ascoltare.

Gli altri clienti, del resto, non avrebbero avuto la possibilità di sentire i discorsi del Gobbo, visto che il tavolino era parecchio in disparte e gli avventori più vicini erano a una decina di metri. Va bene l'happy hour, va bene lo spritz a tre euro, ma è raro che i bar accanto ad un casello dell'autostrada attirino frotte di gente all'ora dell'aperitivo: di solito, locali del genere incominciano a riempirsi ben oltre l'ora di cena, quando ormai l'oscurità è calata da un pezzo e i lampioni dell'immancabile viale prospiciente sono in piena attività, sia in cima che alla base.

– Te lo dico io cosa è successo? È successo che il buon Costantino, mentre eravate a guardia della macchina, si è inguattato il portatile e se lo è infilato da qualche parte. Uno che fa quei giochini con le carte è capace di levarti le mutande quando hai ancora i pantaloni addosso. E ora si è messo in contatto con un compratore per conto suo. Uno che sa bene come piazzare la roba informatica. Ora Costantino gli ha dato il portatile, tanto per fargli avere un primo assaggino e far vedere che cosa ha in mano, e poi fra qualche giorno gli garberebbe portargli anche il resto. Torna?

Gutta masticò in modo affermativo.

– E allora io, che sono bastardo, gli chiedo di riportarmi il computer. Lo so che sembra assurdo. Se davvero lo ha lasciato nella macchina, è chiaro che quel computer non lo rivediamo più. Ma se me lo riporta, allora vuol dire che ce lo aveva lui e che ce l'ha sempre avuto lui. E a quel punto le cosine cambiano. Se invece le cose stanno come dice lui, pace. Vorrà dire che s'è regalato un computer al proprietario della 206. Ma non ci credo nemmeno se lo vedo.

– Allora, adesso ti spiego la faccenda.

Esauriti i convenevoli, lo zio Paolo cambiò leggermente di tono. All'altro capo del telefono Leonardo, che fino a quel momento era stato stravaccato sul divano, si tirò su diritto con la schiena, in punta di seduta.

– Sono andato da un mio collega che se ne intende di più di queste cose, perché come sai questo non è esattamente il mio pane.

Leonardo grugnì. In effetti, ricordava vagamente che il campo di Paolo era il diritto del lavoro.

– E insomma, questo mio collega come sente l'inizio scuote la testa e fa: «Eccoci. Un'altra vittima del ragionier Birigozzi».

– Come? Vittima di chi?

– Il ragionier Birigozzi. Il mio collega mi ci ha tenuto inchiodato per un'ora. Guarda, una storia allucinante. Ora ti spiego.

Leonardo si alzò in piedi, cominciando a camminare in tondo.

– Meno male che me lo spieghi. Così magari nel frattempo mi tranquillizzo. No, perché così di primo acchito avrei la forte tentazione di prendere la mazza ferrata, andare nella sede di Equitalia, chiedere del ragionier Birigozzi e sparecchiargli il muso a mazzate. Farei male?

– No, più che altro non ci riusciresti. Non troveresti nessun ragionier Birigozzi.

– Scusa, allora non ho capito qualcosa.

– E ora te lo spiego. Lo sai come funziona Equitalia?

– Certo che lo so. Prendono dei ragionieri e per prima cosa gli sterminano sotto gli occhi tutti i parenti di primo grado, per renderli immuni dagli affetti familiari. Poi li rinchiudono in delle segrete a pane e acqua per diversi mesi, mentre un addestratore legge ad alta voce Torquemada. Infine...

L'avvocato Chioccioli fece un sospiro.

– Allora, innanzitutto ad Equitalia arriva un ruolo. Una comunicazione che una data persona ha un debito con un ente. Comune, agenzia delle entrate, e via così. Equitalia semplicemente prende atto, non ha la possibilità di controllare se questo ruolo è veritiero o meno. Non le compete, e non ne ha la possibilità. È semplicemente un tramite. Prendersela con Equitalia quando ti arriva una cartella o una multa errata è come incazzarsi col televisore se la tua squadra perde. Ci siamo?

– Sì. Ci sono.

– Ecco. Allora, tipicamente gli errori sono alla fonte. Quando c'è un errore, è l'ente che ti richiede i soldi che sbaglia, nella stragrande maggioranza dei casi. Di solito, a Equitalia arrivano dai Comuni una valanga di ruoli con degli errori incredibili. Errori nella trascrizione degli importi, errori di una lettera nei codici fiscali, assurdità di ogni. Talmente tanti che hanno deciso di non farsi più carico delle richieste dei Comuni, perché passano più tempo a rimediare ai casini che altro. Tanto, il cittadino incazzato non va mica in Comune: in prima istanza, va subito da loro con la mazza ferrata, appunto. Così loro segnalano l'errore. Praticamente l'ente di riscossione funge anche da ente di controllo. Se fai conto che il personale di Equitalia è di circa ottomila persone, hai un'idea di come possono essere redistribuiti i carichi di lavoro.

– Perché, i dipendenti comunali quanti sono?

– In Italia? Circa mezzo milione. Di questo mezzo milione circa centomila sono amministrativi. E tra questi centomila, purtroppo, c'è il ragionier Birigozzi. Da un punto di vista ufficiale, istruttore amministrativo del Comune di Pisa. Da un punto di vista sostanziale, come mi spiegava il mio amico, un deficiente. Un incompetente impossibile da licenziare in quanto come tocchi un dipendente pubblico i sindacati ti saltano al collo. Da quando hanno cambiato il software di gestione, semplicemente, pare che il ragionier Birigozzi non abbia ancora imparato il suo corretto funzionamento. O meglio, non è chiaro se sia deficiente o semplicemente sia di quelli che fanno i fessi per non pagare il sale.

– In che senso?

– Nel senso che, se per fare un lavoro che richiede dieci minuti per farlo bene ce ne metti quarantacinque facendolo male, semplicemente smetti di lavorare. Nessuno ti chiederà mai di fare qualcosa, e i vari uffici ti palleggeranno da una parte all'altra a rotazione. In questo momento il ragionier Birigozzi è alla trascrizione delle contravvenzioni in ruoli amministrativi, compito nel quale sta dando il meglio di sé. La sua specialità, come probabilmente è successo nel tuo caso, è battere anche i centesimi nella casella degli euro, così una multa da centotrenta euro diventa una stangata da tredicimila. Ormai sta diventando più o meno leggendario.

– Ho capito. E allora?

– E allora ora ci armiamo di santa pazienza e andiamo a sentire in Comune. Ci vorrà un po', ma non dovrebbe essere difficile. Nel frattempo, però, il fermo amministrativo rimane. Finché 'sta faccenda non è finita, è meglio se la macchina non la tocchi.

Mercoledì notte

La mente umana funziona con due processi paralleli.

Il processo numero 1 è quello grazie a cui funziona la nostra intuizione; il processo numero 2 entra in azione ogni volta che dobbiamo svolgere una qualsiasi azione che richieda logica, concentrazione ed autocontrollo. In una parola, compiti che esigono razionalità.

Pur essendo la razionalità superiore in molti casi all'intuizione, il sistema numero 1 è fisicamente moooolto più veloce del sistema numero 2, il quale è lento e macchinoso. Per questo motivo quando ci sentiamo in pericolo, e diventa improvvisamente necessario reagire con rapidità, il nostro corpo affida prontamente il controllo al sistema intuitivo, lasciando il sistema razionale a blaterare inascoltato come un genitore al telefono; capacità che ci siamo tramandati grazie a millenni di evoluzione, nel corso dei quali la specie umana ha affrontato i pericoli più disparati.

Agli albori della specie, infatti, possiamo immaginarci che udendo il ruggito di un leone ci fosse chi si arrampicava istintivamente su di un albero e chi, invece, si metteva a ragionare su quanto il leone fosse lontano, se fosse maschio o femmina e così via. Siccome quelli che, in situazioni di pericolo, tendevano a ragionarci sopra sono, di volta in volta, diventati merendine per leoni, noi siamo in massima parte figli di quelli che in caso di pericolo cercano istintivamente l'albero più vicino.

Per funzionare perfettamente, quindi, il sistema numero 2 richiede che l'essere umano che lo gestisce sia tranquillo, rilassato e che non avverta nessuna sensazione di pericolo.

È quindi del tutto naturale che in momenti di stress (quali ad esempio la situazione di un lavoratore in contrasto con il proprio capo, che non può utilizzare l'auto che gli è stata fregata e poi restituita in quanto sottoposta a fermo amministrativo, dato che con la medesima auto avrebbe rimediato una multa da tredicimila euro) il sistema numero 1 prenda il sopravvento e che tu ti comporti in modo irrazionale, e finisca per guardare dentro un computer che non è tuo.

La lunga pratica, almeno, permette di trasformare i comportamenti razionali in reazioni istintive. Infatti fu in modo completamente automatico che Leonardo, il quale ciacciava sulla sicurezza informatica da circa dieci anni, prima di mettersi a lavorare su un computer in modo illecito spense il router scollegando così di fatto la sua rete Internet, in modo che il portatile non potesse essere visto dalla rete in nessun modo a sua insaputa.

La prima cosa che Leo fece fu di connettere fisicamente il portatile al proprio computer di casa. Dopodiché, non fece altro se non copiare il contenuto del portatile nel proprio elaboratore. Infine, dopo aver ordinato per bene tutte le icone nella cartella di download secondo il proprio gusto personale, iniziò a spulciare.

Il computer era piuttosto vuoto, segno evidente che era nuovo; come proprietario, nelle informazioni di sistema, compariva una delle più note case editrici italiane. Nessun'altra informazione, almeno palese, di carattere personale. E quasi nessun altro segno di utilizzo. La cartella usata più di recente, che era anche l'unica di dimensioni ragguardevoli, portava semplicemente la dicitura «Romanzo».

Ora, Leonardo era il genere di persona che quando prendeva una medicina non di rado per prima cosa leggeva tutto il bugiardino, rimanendo ipnotizzato dal lungo elenco di posologia, avvertenze e tutti gli improbabili effetti collaterali, rimediando così delle partacce asburgiche da Letizia, che magari stava aspettando l'iniezione ed era a chiappa al vento da qualche minuto. Partacce che, seppur decise, avrebbero avuto la levità di un minuetto al confronto di quella che gli sarebbe toccata se Letizia lo avesse beccato a leggere dentro al computer ignoto.

Ma, al momento, la dolce e mitteleuropea mogliettina dormiva tranquilla e beata.

E questa era una tentazione semplicemente troppo allettante per poter anche solo pensare di provare a resistere.

È un romanzo, quindi va letto.

Capitolo primo

Di tutte le categorie di personaggi che ho visto entrare nel mio albergo, in assoluto i matematici sono quelli che si vestono peggio.

Di personaggi strani ne ho visti, intendiamoci. Calciatori, rockstar, santoni, finti maghi (non che creda che quelli veri esistano); persino una delegazione thailandese per il Gay Pride. Veri e propri esegeti del cattivo gusto, a volte; ma di un cattivo gusto, come dire, prevedibile. Prevedibile ed omogeneo. Se entra un tizio vestito da rapper, con l'andatura strascicata ed alle orecchie un paio di cuffione con gli auricolari grossi come hamburger, novantanove volte su cento è un calciatore; la volta restante è il fratello scemo di un calciatore. I matematici, invece, sono tutto tranne che standardizzati.

Tanto per farvi capire, nel momento in cui sto parlando ho sotto gli occhi una signora sulla sessantina, molto distinta, con un bel tailleur di Chanel, che sta ascoltando con una certa soggezione quello che sta blaterando un tanghero che avrà più o meno gli stessi anni, ma che ne dimostra il triplo. Il tizio, che ha l'aria di chi mangia una volta alla settimana e si lava una volta al mese, indossa un paio di pantaloni di velluto dal colore indefinibile e una camicia a righe verdoline che farebbe ribrezzo anche se fosse rincalzata nei pantaloni e con tutti i bottoni infilati nelle asole giuste; purtroppo, nessuno di questi due aspetti è stato preso in considerazione dal proprietario. A qualche metro da loro, assorto in un dialogo con un omino dagli spessi occhiali da vista, c'è una montagna umana con il pizzetto rosso e gli occhi azzurri, completamente pelato e dalla muscolatura notevole, con addosso una camicia bianca, pantaloni neri ed un auricolare.

Se non conoscessi nessuno dei quattro, penserei che il barbone stia importunando la signora e andrei dall'addetto alla security per dirgli di intervenire. E farei male.

In primo luogo perché la professoressa Sharon Fitzsimmons-Deverell è probabilmente molto interessata a quello che le sta dicendo Gyòrgy Fehèr, già rettore della Budapestinensis Universitas, che nonostante l'aspetto da scappato di casa dicono essere uno dei più arguti teorici dei numeri del mondo, e non prenderebbe bene l'interruzione. In secondo luogo, perché il professor Edward B. Castner Jr., che so essere uno degli uomini meno dotati di senso dell'umorismo di tutta Stanford, non capirebbe per quale motivo gli chiederei di separare i suoi due eminenti colleghi, e probabilmente mi prenderebbe a sganassoni.

Anzi, minaccerebbe di prendermi a cazzotti, ma poi non ne farebbe di nulla, perché il suo interlocutore con gli occhiali spessi intercederebbe in mio favore.

È il minimo che potrebbe fare, visto che è mio fratello.

Ogni congresso accademico che si rispetti, sapete, termina con una cena sociale. E, sia che uno sia contento che il congresso è finito, sia che a uno dispiaccia, di solito la cena sociale è un'ottima occasione per ubriacarsi. Come dite? Non ce li vedete, dei seri professori di matematica che si ubriacano come portuali svedesi? Sì, come no. Da quando sono direttore di questo albergo, ho organizzato undici congressi della International Society for Applied Mathematics, e che il Grande Architetto mi folgori se ad ognuno di questi congressi non è successo qualche casino legato all'alcol, alla droga o ad entrambi. Questo è il dodicesimo, e grazie all'Ente Supremo di cui si parlava prima anche l'ultimo di cui mi occuperò. Non perché mi licenzino, state tranquilli; il fatto è che mio fratello sta per andare in pensione, e con lui in ritiro forzato addio contatti privilegiati con il Comitato Organizzatore, addio offerte speciali, e addio congresso biennale. Mica tutti i matematici hanno un fratello che dirige il miglior hotel del litorale.

Mentre guardo mio fratello, mi accorgo che uno dei vassoi con il millefoglie è rimasto vuoto, e mi muovo con discrezione, ma rapidamente. Se c'è una cosa che bisogna evitare in un buffet è che restino esposti i vassoi vuoti: dà un effetto di fine della festa che mette una tristezza unica. Quando ero giovane, avrei portato via il vassoio circa quattro secondi dopo che l'ultimo pezzetto di torta aveva lasciato l'argento. Adesso, se non lo fa notare il direttore, addio.

Come dite? Perché non lo faccio io? Che carini. Il direttore dirige, osserva, sorveglia. Nei casi disperati, e solo nei casi disperati, ordina. Ma se è un bravo direttore, e ha dei bravi camerieri, tutto è già stato spiegato prima. Non ci dovrebbe mai essere bisogno di dire a qualcuno cosa deve fare, se non negli imprevisti.

Basta un cenno della mano guantata e uno dei camerieri mi guarda. In modo bovino, ma mi guarda. Indico con un gesto il buffet, e quello continua a guardarmi come se fosse una mucca burlina. Mi avvicino.

– Vassoio vuoto – gli dico. – Porta via.

Quello mi guarda, guarda il buffet, e indica.

– Quello là sulla destra?

– Se non la smetti immediatamente di indicare ti strappo quel dito e te lo faccio ingoiare – dico, tentando di mantenere un minimo di aplomb. Il cretino butta giù. – Sì, è quello. Vai.

Il tizio va. Domani, dopo colazione, gli farò la partaccia davanti a tutti. Più per scrupolo che per convinzione, intendiamoci.

La cena sociale a buffet è stato uno dei tanti, troppi effetti della crisi; fino a qualche anno fa, la cena era un evento imperiale, e il menù era curato personalmente da un cuoco segnalato su tutte le guide, con tanto di stelle o di forchette. Poi è arrivata la crisi, e dalle stelle Michelin siamo passati alle stelle di Negroni. Chilometro zero, cucina della tradizione, prodotti del territorio: tutti modi patetici per non ammettere nemmeno di fronte a noi stessi che siamo con le pezze al culo.

Eccoci, scusate. Carlo si è alzato in piedi, e si sta preparando per fare il suo discorso.

Mi guardo intorno, rimanendo impassibile. E, cosa mai vista, nel giro di due secondi il cicaleccio si sgonfia come la schiuma di uno spumante da quattro soldi. Tiro il primo sospiro di sollievo.

Vedete, capita sempre che chi deve fare un discorso ad un banchetto per prima cosa si alzi in piedi, sperando che tutti i presenti notino questo gesto piuttosto vistoso e smettano istantaneamente di farsi i cavolacci loro per prestare ascolto. Purtroppo, di solito la maggior parte dei presenti non lo nota: per cui, l'oratore è solito battere con discrezione decrescente il coltello sul bicchiere, sperando che il brusio si smorzi prima di assestare un colpo troppo deciso. In vita mia, solo due volte ho visto le persone chetarsi nel momento stesso in cui l'oratore si alzava in piedi, ed in entrambi i casi si trattava di una commemorazione funebre.

Il secondo sospiro di sollievo lo tiro nel vedere che mio fratello è sorridente; un sorriso sereno, consapevole, forse anche un pochino imbarazzato, ma è un sorriso. Non il sorriso politically correct di chi si deve dare un contegno anche a costo di sembrare un ebete; no, un sorriso... direi un sorriso soddisfatto. Sì, la parola giusta è questa. Soddisfatto. Una novità, da una decina d'anni a questa parte.

Un sorso d'acqua: Carlo lo fa sempre, come molti altri, per disimpastare la bocca e sciogliere il misterioso adesivo che gli tiene le parole attaccate sotto la lingua all'inizio di ogni discorso pubblico. Uno sguardo ai fogli che ha disposto, fermandoli sotto il coltello, e si comincia.

– Signore e signori... bene. Eccoci qua.

Una piccola pausa, guardandosi intorno. E mentre Carlo si guarda intorno, io guardo Carlo, lievemente incredulo.

– Come alcuni di voi sanno, questo è l'ultimo congresso al quale partecipo come presidente della Società. Avendo compiuto settantadue anni ad aprile, fra venti giorni andrò in pensione. Sento mormorii di incredulità, per cui credo di dovermi ripetere: sì, ho solo settantadue anni. So che il mio viso e il mio portamento suggeriscono che ne abbia ottantanove, e che i miei discorsi talvolta facciano propendere per i centosei, ma posso rassicurarvi in merito.

Mi accorgo di avere la bocca lievemente aperta, e la richiudo. Sempre restando impassibile, è ovvio. Mentre continuo a guardarlo, Carlo solleva il coltello e prende in mano i fogli. Saranno una decina, scritti nella grafia minuta e ordinatissima di mio fratello, il che significa almeno un'ora e mezzo buona di rottura di coglioni, vista la tendenza di Carlo alla digressione esplicativa. Per cui si avverte un sollievo notevole quando mio fratello, con un gesto deciso senza essere solenne, squaderna i fogli con pochi tocchi leggeri, li piega a metà e li rimette sul tavolo.

– Per questo motivo, scrivo sempre quello che devo dire. Cosa che ho fatto anche per questo piccolo discorso di stasera, nel quale avrei dovuto raccontarvi la mia vita da matematico, e ringraziarvi per avermi dato quest'ultima opportunità per annoiarvi. Ma, come sapete, nel corso della giornata odierna era attesa una presentazione che ha suscitato, e giustamente, un grande entusiasmo. Entusiasmo per voi come matematici, in quanto la metodologia illustrata è di notevole eleganza, e affronta un problema estremamente complesso con argomenti di notevole semplicità, il che è il sogno di ogni matematico. Entusiasmo per voi come esseri umani, in quanto capita di rado che una scoperta matematica possa salvare delle vite umane, come in questo caso. Ma se per voi l'entusiasmo è stato grande, alcuni di voi sanno o possono immaginare cosa provo io in questo momento.

Alcuni di voi, forse. Io lo so di sicuro, visto che stanno per dare la targa Conti.

La targa Conti è un premio che viene conferito dall'ISAM «for outstanding achievements in applied mathematics», come recita la pagina meno consultata dello statuto. Risultati eccezionali nel campo della matematica applicata, quindi.

Ad essere sinceri, la targa non è nemmeno una targa – è una medaglia di forma ellittica, a ricordare la prima grande conquista della matematica applicata, ovvero la scoperta da parte di Keplero che le orbite dei pianeti sono ellittiche, e non sferiche come credevano tutti fino a quel momento. Così come, fino a quel momento, le ellissi erano credute essere l'oggetto più inutile dell'universo. Chi se ne frega, era il pensiero comune, della forma che viene fuori se tagli un cono per traverso?

In effetti, i risultati eccezionali di cui si parla sono talmente eccezionali che la targa Conti non viene conferita ad ogni congresso. Anzi. A tutt'oggi, la targa è stata conferita solo tre volte – e in tutti e tre i casi, pochi anni dopo al vincitore è arrivato a casa il premio Nobel, due volte per la fisica e una per l'economia.

Quindi, siccome sono il capo della brigata di sala, so che al termine della cena ci sarà spazio per un momento eccezionale. So che mio fratello conferirà a qualcuno la targa Conti. E quindi sono in grado senza dubbio di capire ciò che prova.

Invidia. Invidia verde.

Sarà la coscienza del suo ruolo, sarà che vista l'importanza del momento gli hanno tolto il bicchiere di sotto, ma ormai non ci sono più dubbi: mio fratello è completamente sobrio.

Nessun accenno di voce impastata, nessun piccolo singhiozzo digestivo, nessuna pausa per tentare di sgrondare i concetti dall'alcol.

Altro che risultato epocale.

– Dovete sapere che un giorno, quando avevo dieci anni, il mio nonno Giuseppe mi portò a sentire un concerto. Un concerto di musica classica organizzato dalla banda di Navacchio.

Alcune brevi risate soffocate, subito smorzate da un cenno della mano di mio fratello.

– So che può far ridere a dirlo oggi, ma quando ero piccolo la filarmonica «Leopoldo Mugnone» era composta da signori musicisti. Persone che magari, di giorno, facevano il sarto, il contadino o il barista, ma che la sera si prendevano il loro bravo strumento e andavano a suonare. Persone che sapevano leggere la musica come io e voi sappiamo leggere un testo scritto nella nostra lingua. Persone a cui piaceva la musica e di conseguenza piaceva fare musica, e che non avevano bisogno di un talent show per sentirsi importanti: lo erano già.

Vero. Essere il miglior clarinetto di Navacchio, come era mio nonno, conferiva un prestigio sociale solido. Autentico, e duraturo. E dei musicisti delle filarmoniche si discuteva nei bar, con competenza variabile, ma con gli stessi animi accesi che oggi riserviamo al calcio. Non a caso il maestro di musica, in paese, aveva la stessa autorità del sindaco, del dottore e del maestro elementare. Era il nostro allenatore di campioni, mica l'ultimo degli stronzi.

– La banda di Navacchio era quindi una signora filarmonica, con un repertorio che spaziava dal Romanticismo al contemporaneo. Certo, alcuni degli strumentisti erano, diciamo così, piuttosto rustici, ma erano tutti diplomati, e avevano pieno diritto a definirsi professori d'orchestra.

Vero, con riserva. Tutti diplomati, i filarmonici di Navacchio, o quasi. Sarebbe stato difficile conferire un qualsiasi attestato a gente come Gregre, che di sera soffiava nel trombone e di giorno ciucciava dalla bottiglia, e che aveva difficoltà a compitare i nomi dei ciclisti sulla «Gazzetta dello Sport». Il buon Gregre, che faceva l'arrotino, in realtà all'anagrafe risultava come Brunero Del Punta, e il soprannome se lo era guadagnato a furia di ranocchi: ranocchi che gli venivano pigiati di nascosto nel trombone durante i concerti, quando il bravuomo cercava nella fiaschetta un po' di conforto dopo tutto quel soffiare, e che venivano sparati via ad aria compressa dallo strumento alla battuta successiva, per poi ricadere sui filarmonici con elastica allegria. Molto meno allegra era invece la reazione del Gregre, che cominciava a soffiare nel trombone e contemporaneamente a bestemmiare come un portuale con un dito nella pressa; il tutto mentre il resto dell'orchestra, apparentemente indifferente alla grandinata di batraci, tentava diligentemente di portare a termine l'esecuzione.

– Il programma di quella serata me lo ricordo ancora. La *Sinfonia del Nuovo Mondo*, di Antonín Dvořák, l'ouverture della *Cenerentola*, di Rossini, la marcia *Pomp and circumstance numero 1*, di Edward Elgar, e la marcia trionfale dell'*Aida*. Per finire poi, obbligatoriamente, con la *Marcetta numero 2*, opera di Leopoldo Mugnone, nota fra noi ragazzi col titolo scherzoso di «inno nazionale di Navacchio». Ecco, se mi ricordo così bene quella serata è perché non ne uscii indenne. A casa, a letto, per tutta la notte continuai a sentire nelle mie orecchie quella musica. E la mattina, dopo una notte insonne passata a immaginarmi ora al clarinetto, ora alla tromba, ora al flauto, andai da mio nonno e gli dissi che volevo imparare la musica. E quando mio nonno mi chiese che strumento volevo suonare, fui categorico.

Pausa, da attore consumato.

– Tutti, nonno. Li voglio saper suonare tutti.

– E così, il giorno stesso, dopo cena, venni preso e portato da Ivo Frustalupi, il maestro di musica del paese. Come sarebbe successo da quel giorno tutti i lunedì, i mercoledì e i venerdì. Il lunedì, teoria e solfeggio; il mercoledì e il venerdì, strumento. Come strumento preliminare, il primo che avrei imparato a suonare, venne scelto ovviamente il clarinetto: a casa ce n'erano due vecchi, di mio nonno, e di comprarmi uno strumento nuovo se ne poteva eventualmente discutere, disse mio padre, quando mi sarei diplomato. Gli altri giorni della settimana, sarei rimasto a casa, ad esercitarmi.

E chi se lo scorda.

– La faccio breve: dopo un anno, alla fine della lezione, il maestro Frustalupi mi tolse di mano il clarinetto con più delicatezza del solito, e poi mi disse che mi avrebbe riaccompagnato a casa lui. E una volta a casa, dopo avermi riconsegnato a mio nonno, gli ridette in mano lo strumento e parlò. O, meglio, sentenziò. Dicendo, testualmente: «Senti Beppe, se gli passi sopra con l'aratro secondo me questo povero clarinetto soffre di meno».

Il sospiro di Carlo è teatrale, ma non per questo meno autentico.

Così come erano autentiche le ore che passava ogni sera, prima di andare a letto, a mandare su e giù quella mano chiusa a becco, strascicando i nomi delle note. Abbastanza fastidioso, per chi ci condivideva la camera, cioè io: ma poi, per fortuna, si metteva al clarinetto.

Per fortuna, perché quando si metteva al clarinetto voleva dire che si volgeva al termine, e che era rimasta solo un'ultima mezz'ora di patimento. La più intensa, va detto, ma anche la più liberatoria.

– La sentenza del maestro non si discuteva. Ero, a suo dire, l'allievo più duro che avesse mai avuto. Non che sulla teoria e sul solfeggio andassi male, anzi: il problema, il problema reale, era la totale mancanza di orecchio. Di coordinazione tra la nota cristallina che pensavo e il gemito sinistro che si trascinava fuori dal clarinetto.

Carlo fa un secondo sospiro, più breve e più sincero.

– Certe passioni non si alleviano, e certi difetti non si allenano. Ero, e sono rimasto, stonato come una campana. Ero, e sono rimasto, appassionatissimo di musica.

Ecco, adesso ci siamo. Per chi non lo conosce, mio fratello potrebbe sembrare completamente rincoglionito, e qualcuno fra il pubblico sta visibilmente cominciando a chiedersi dove vuole andare a parare questo amabile vecchietto. Ma molti, fra i presenti, sanno quello che so io.

Che se fino a ora ha parlato Carlo il nipote di Beppe, adesso sta per prendere la parola il professor Carlo Trivella. Un matematico stimato, e soprattutto uno dei più autorevoli musicologi del mondo.

Giovedì mattina

– Ecco qui. Cornetto con la marmellata e caffè doppio. Serve altro?

– No, grazie.

Sbadigliando come un facocero, Leonardo tese la mano che non copriva la bocca verso la tazza del caffè. Doppio, sì. Ci voleva, dopo essere andato a letto alle quattro e un quarto.

Per Leonardo, fare le quattro di notte non era un problema; il problema era doversi svegliare alle sette la mattina dopo, perdipiù con gli occhi sfrigolanti per aver passato tre ore e mezzo a leggere al computer e con il morale sgonfio, triste e pesante come un piatto di patatine fritte fredde. Perché il romanzo era indubitabilmente scritto bene (sennò Leonardo lo avrebbe piantato lì), ma era anche una delle cose più deprimenti che avesse mai letto.

In più, una volta andato a letto, Leonardo non era riuscito ad addormentarsi subito. Un po' l'effetto del computer, sicuramente, un po' il fatto che una volta passata l'ora addormentarsi era sicuramente più difficile, anche. Ma soprattutto il fatto che quel romanzo gli ricordava qualcosa. Che cosa, in particolare, non riusciva a individuarlo, e i suoi neuroni si erano agitati a lungo nell'inutile tentativo di trovare la giusta connessione, rifiutandosi di soggiacere al sonno.

Poi finalmente era arrivato, il sonno; troppo tardi, e troppo poco. Così Leo, che la sera prima aveva promesso a Letizia che si sarebbe svegliato mezz'ora prima per avere tutto il tempo di andare alla polizia a portare il computer misterioso, in realtà si era svegliato in ritardo clamoroso, e adesso aveva cinque minuti scarsi per fare colazione, prima di andare a prendere il treno. Insufficienti per aspettare la «Gazzetta», che al momento era in mano a un biondino con gli occhiali che l'aveva squadernata di fronte a sé con tutta la cura di chi intende leggersela in santa pace dall'inizio alla fine.

Ma a fare colazione al bar senza giornale, Leonardo non ci riusciva. Per cui, mentre addentava il cornetto, stese la mano verso il «Tirreno» e lo spiegò.

Ilva, operai in rivolta. Tremila in piazza contro il maxisequestro.

E ti credo.

Il Papa: la famiglia è la base della pace. Il matrimonio e i figli sono il presente e il futuro della salvezza.

D'accordissimo. Ma te cosa ne vuoi sapere?

Mancini, l'amaro ritorno a casa. Ladri in azione nel villino del noto scrittore.

Cazzo.

Ora, il bar è in generale un luogo trasversale per eccellenza. Nei bar intorno alle stazioni ferroviarie, poi, questa trasversalità si realizza in modo completo; in altre parole, il bar vicino alla stazione è un posto dove potrebbe entrare chiunque. Impiegati che sorbiscono un frettoloso caffè, anziane signore in procinto di andare al mercato, adolescenti con lo zaino in spalla che si guardano intorno nella speranza che non entri nessun professore, tossici che chiedono un bicchier d'acqua con una fetta di limone e quando vanno via l'acqua è ancora lì, mentre il limone non più.

Non deve quindi sorprendere che, a fare colazione al bar della stazione, ci fosse anche un giovane ex impiegato di una ditta di allarmi, al momento coinvolto in uno squinternato giro di furti; giovane il quale stava tentando di capire se l'auto che aveva abbandonato due o tre notti prima, e che non si trovava più dove l'avevano lasciata, fosse per caso vicino a dove l'aveva presa, e quindi vicino alla stazione.

Né tantomeno dovrebbe stupire il fatto che, quando Leonardo estrasse il computer misterioso da una delle due borse nere che aveva accanto al tavolino, il giovane in questione rimanesse per due o tre secondi ipnotizzato dalla comparsa dello stesso computer portatile che aveva lasciato nell'automobile in questione.

Fu con dissimulato interesse, quindi, che Costantino osservò Leonardo appoggiare il portatile sul tavolino, aprirlo, guardarlo per qualche secondo con aria bovina e, dopo averlo richiuso, rimetterlo nella borsa. Dopodiché, quando Leonardo chiese il conto, andò deciso verso la cassa.

Se Leonardo fosse stato un po' più lucido, e avesse dormito un po' più di un paio d'ore, probabilmente nel corso della mattinata non avrebbe commesso tutti gli errori che stava per commettere.

Il primo errore era stato quello di tirare fuori ed aprire il portatile, al bar, come se avesse potuto davvero metterci le mani dentro, dimenticandosi che se aveva potuto leggere nel contenuto del disco era solo perché aveva riversato tutto nel proprio calcolatore di casa, e che di quel portatile non conosceva la password.

Successivamente, invece di incamminarsi verso la stazione, Leonardo era tornato automaticamente verso casa, per andare a prendere l'automobile, dimentico del fatto che la vettura era in stato di fermo amministrativo e quindi non era il caso di utilizzarla; il fatto era che, quando gli era venuto in mente che con tutta probabilità aveva in mano parte della refurtiva di casa Mancini, il cervello aveva incominciato a ragionare sulla possibilità di poter contattare il letterato per comunicargli la lieta novella, e il corpo era partito in automatico verso il punto del marciapiede dove Leonardo parcheggiava l'auto da circa sei anni, e che si trovava esattamente a cento metri sia da casa sua che dal bar davanti alla stazione.

In terzo luogo, se non fosse stato impegnato a quantificare in euri il più che probabile ringraziamento da parte del celebre adepto di Calliope per avergli ritrovato il portatile, probabilmente Leonardo si sarebbe accorto che a qualche metro di distanza c'era un tipo a cavallo di un motorino con parecchi problemi alla marmitta che lo stava seguendo in controsenso. Dopo essere montato in auto per dirigersi alla LeaderSoft, le probabilità di individuarlo nel traffico erano scese ulteriormente di parecchio, nonostante l'incessante scoppiettìo del mezzo, un po' perché il rumore tendeva a confondersi con il resto del casino e un po' perché è noto che certe cose succedono solo nei thriller e che uno nella vita reale non prende in considerazione l'idea di venire pedinato.

Una volta parcheggiata l'auto nel piazzale della ditta, prendere il portatile non più misterioso e portarlo con sé all'interno dell'edificio non fu esattamente un errore: in fondo Leonardo era curioso di dare una ulteriore occhiata al contenuto del portatile, e avrebbe potuto farlo solo collegandolo ad un altro computer della ditta, visto che non aveva la password per accedervi. L'errore, piuttosto, fu quello di rispondere al cellulare per rassicurare Letizia («Ciao Leo, scusa se ti disturbo ma stamani non volevo svegliarti, sei ancora in treno?». «No no, non sono più in treno, sono già arrivato». «Senti, ti sei mica ricordato di passare dai carabinieri per il computer…». «Tranquilla tesoro, tutto a posto». «Ah, meno male, bravo. Senti…») e, così facendo, utilizzare la seconda mano a sua disposizione per impugnare il telefonino. Avendo Leo due mani, come tutti gli uomini hanno, e non otto, come tutte le donne pensano, il risultato fu che la seconda borsa nera, con dentro il computer della ditta, rimase dentro l'automobile. E quello fu, effettivamente, l'errore peggiore di tutti.

– Chiezzi?

Leonardo, sentendo la voce di Tenasso al telefono, chiuse lo schermo del portatile misterioso, per istinto.

– Sì.

– Che fa?

– Stavo facendo una analisi di frequenza su una stringa...

– Bene. Ha finito?

– Certo.

– Meglio. Senta, ho qui il dottor Delneri che dice che con il vecchio compilatore ci sono conflitti di libreria. Lei li aveva risolti col nuovo compilatore, giusto?

– Sì, certo.

– Ecco. Venga su col suo portatile, per cortesia, così diamo un'occhiata insieme a tutte le modifiche.

– Un attimo.

Costantino, dopo aver visto Leonardo abbandonare la provinciale ed entrare nel parcheggio della LeaderSoft, aveva giudiziosamente evitato di seguirlo anche nel piazzale interno e aveva proseguito dritto; va bene che uno nella vita reale non si aspetta di essere pedinato, ma entrare in un parcheggio privato con un motorino a petardi non era esattamente il modo migliore per passare inosservati. Quindi, parcheggiato il motorino davanti al bar poco distante, si era incamminato a piedi verso il piazzale.

Mentre camminava, Costantino aveva per la centesima volta ringraziato un ente divino imprecisato per l'ispirazione di portarsi dietro l'UCG.

L'Universal Code Grabber (o, come lo chiamava Costantino, ECG) era un semplice dispositivo in grado di captare qualsiasi segnale radio, come ad esempio quello del telecomando interno inserito nella chiave di un'automobile, e di clonarlo: uno degli strumenti di lavoro essenziali di Costantino quando ancora installava allarmi, invece di smontarli. Con questo dispositivo, qualche giorno prima, Costantino aveva fregato il codice di accesso all'auto di Leonardo ed era stato in grado di aprirla, grazie all'abitudine dello stesso Leonardo di verificare che l'auto fosse chiusa premendo il bottone della chiave a venti metri di distanza. Tutto il necessario per aprire ed avviare l'auto stessa era, al momento, memorizzato dentro l'UCG; per cui, una volta resosi conto che l'automezzo che stava seguendo era esattamente lo stesso che aveva fregato qualche giorno prima, Costantino aveva cominciato a credere che i suoi problemi fossero definitivamente risolti.

Entrato nel parcheggio, aveva individuato la 206 color argento con facilità. Accostatosi alla macchina, aveva dato un'occhiata dentro. E, dietro al sedile del guidatore, aveva visto una borsa nera da computer. Cercando di tremare il meno possibile, Costantino premette il bottone dell'UCG. Simultaneamente il congegno dell'auto scattò, con un rumore che gli dette l'impressione di far vibrare l'intero parcheggio.

Dopo aver aspettato due o tre secondi Costantino aprì la portiera, cacciò la mano dentro la vettura e ne tirò fuori la borsina.

Fatto.

Per quale cavolo di motivo poi sarà tanto importante, per il Gobbo, proprio questo portatile.

– Eh no, Angelica. È proprio il portatile la cosa più importante.

– Non capisco. Ti rubano in casa, ti portano via i quadri, il televisore, ti portano via dei vini a cui tenevi come dei fi...

All'altro capo del telefono, calò il silenzio. Silenzio che Giacomo, correttamente, interpretò come segnale di comprensione. Nel senso che Angelica aveva compreso, non che fosse disposta a comprendere.

– Angelica?

– Sì. Io ci sono.

– Angelica, vedi adesso che...

– Tu invece mi sembri non esserci più. Mi stai dicendo che non ne hai salvata nemmeno una copia?

Giacomo respirò a fondo, anche se non quanto avrebbe voluto.

– No. Nemmeno una copia.

– Quando pensavi di dirmelo?

– No, semplicemente credevo, come credo ancora, che la cosa si sarebbe risolta. Nel senso, ormai al giorno d'oggi i computer sono tracciabili...

– Almeno loro. Grazie a Dio. Visto che gli esseri umani non lo sono. Ti rendi conto, vero, che il libro è in cedola da febbraio? Che le librerie lo stanno già ordinando, per non parlare della grande distribuzione? Che ha una scheda che parla diffusamente «della coinvolgente biografia di un matematico che cerca la bellezza al di là del suo essere»? Che ha già un prezzo, ovvero diciotto euro, stabilito dal fatto che è un'edizione rilegata da trecento pagine, pagine delle quali al momento non ne abbiamo manco mezza?

L'unico modo per rispondere a domande senza risposta è formulare un'altra domanda. Intere classi di esseri umani di serietà variabile, dai rabbini agli psicanalisti, hanno costruito la loro reputazione sulla capacità di attenersi in modo granitico a tale precetto, contribuendo così a formare la categoria professionale dell'ignorante consapevole. Giacomo, pur da dilettante, si attenne.

– Sì. E io cosa posso farci, al momento, secondo te?

– Non chiamarmi finché non hai un romanzo inedito da trecento pagine che parla di un matematico che va in pensione. Che sia quello o un altro non fa differenza.

Abbassare la cornetta fu comunque un sollievo.

Sollievo prolungato da Paola che, alzandosi dalla poltrona, andò incontro a Giacomo e gli passò una mano sulla schiena, con dolcezza.

Purtroppo, come se fosse consapevole di guastare il primo momento di intesa coniugale della settimana, subito dopo nella stanza entrò Seelan, con in mano un vassoio e in faccia l'espressione di chi ha appena visto un documentario su Hiroshima.

– Scusate se permetto, signore Giacomo – disse Seelan, fermandosi appena oltre la soglia.

– Vieni Seelan, non preoccuparti. Cosa c'è lì? – chiese Paola, fingendo serenità.

– Alcune cose mia moglie fatto per voi. Pensato avrebbe fatto piacere. Noi chiamiamo «vadai». Questo è di lenticchia, con spezie, Masala vadai, e questo di patata, Uzhundu vadai. Molto buonissime per noi.

E, appoggiato il vassoio sul tavolino, si mise da parte, attendendo probabilmente il momento giusto per abbandonare la veglia. Giacomo pescò una prima frittellona, per pura educazione.

Esattamente quindici secondi dopo, mentre ancora stava buttando giù la prima, ne arraffò una seconda.

– Mamma mia, Seelan – disse Paola, anche lei a bocca piena. – Sono fantastiche.

Eccellenti, confermò Giacomo a guance piene.

Seelan permise ad un sorriso abusivo di comparire per un attimo.

– Noi in Sri Lanka, questo è fast food. Noi non andiamo McDonald's.

– E poi sono asciuttissime – disse Paola mentre Giacomo ne prendeva una quarta, visto che la terza era durata meno di un sorriso di Seelan. – Ma sono fritte? O al forno?

– Fritte, sì. Ma noi si mettiamo baking.

– Baking? È un ingrediente segreto delle vostre parti?

– No, no. Baking. Anche qui sempre ho visto. Polvere bianca che fai rutti.

– Aah, il bicarbonato – inferì Paola. – Baking soda, certo.

– Ecco, baking soda. Così quando si mettiamo vadai in padella fa tanto vapore, tanto gas, e olio tutto viene mandato via. Rimane croccante e non moscio. Se rimane moscio non va bene.

– Altri tempi... – disse Giacomo, dando alla frittellona un morso gagliardo.

Incredibile, come il cibo riesca a cambiarti l'umore in un attimo.

– Un attimo. Circa quindici minuti fa mi ha detto un attimo, dottor Chiezzi. Potrei avere il privilegio di sapere dove è riuscito a finire?

Leonardo, con il cellulare in una mano, chiuse delicatamente la portiera della 206. La stessa che aveva sbattuto con violenza qualche minuto prima, dopo essersi reso conto che l'automobile era aperta e che il portatile della ditta non c'era più.

– Sì, ingegnere. Ero venuto in automobile a prendere una cosa che mi serviva assolutamente. Credevo di trovarla subito...

– L'ha trovata?

– Non esattamente.

– Be', la cercherà dopo. Adesso venga immediatamente su con il computer. Non in un attimo, immediatamente. Le rammento che il mio studio è quello più in fondo a destra, al terzo piano. Ce la fa a ricordarsene nel tempo che le occorre a venire qui?

Giovedì pomeriggio

– Dottor Corradini, ha un minuto?

Beccato mentre usciva dall'ufficio, con la faccia di chi sta andando a prendere il caffè, il signor questore rimase un momento interdetto.

– Buongiorno, agente Stelea. Guardi, siamo veramente nel casino. Mi ha appena telefonato Anniballe che non ce la fa ancora a rimettersi in piedi, e stamani mi tocca fare da sella e da cavallo. Se è un minuto...

– Un minuto solamente, dottore.

Un minuto che a Corinna era costato quasi un'ora di appostamento di fronte alla porta chiusa del signor questore, fatto di passaggi continui e frettolosi nel corridoio antistante il gabinetto dell'alta carica con una cartella in mano – nessuno in un ufficio pubblico ti ferma se cammini con una cartella in mano – e di pause in cui teneva sotto controllo la porta dalla finestra dell'archivio. Una roba da poliziotto vero, altro che alzare la sbarra.

Il dottor Corradini si incamminò, rassegnato.

– Mi dica.

Corinna aprì la cartella mentre camminava – del tutto inutile, visto che sapeva a memoria quello che stava per dire, ma così si sarebbe risparmiata gli inevitabili «ma è sicura» e «controlli meglio» del questore quando gli venivano riferiti a voce dei dati che lo avrebbero obbligato a lavorare – e mostrò al suo superiore una riga su un rapporto.

– Ecco. La scorsa settimana, in provincia è stato effettuato un solo furto d'auto. Una Peugeot 206, la cui scomparsa è stata denunciata il giorno prima del fatto a casa Mancini.

– Davvero?

– Esattamente. Adesso, se lei si ricorda, il furto a casa Mancini aveva alcune particolarità, che mi avevano portato ad ipotizzare che i ladri, per imperizia o inesperienza, avessero utilizzato una automobile di piccole dimensioni. In secondo luogo, l'automobile è stata ritrovata in un campo, due giorni dopo, intatta. E senza alcuna traccia di scasso.

– Davvero? – Il questore sembrò mostrare un barlume di interesse. – Dei veri gentiluomini.

– Vero che è strano? Voglio dire, se una macchina viene rubata per un furto di solito dopo viene bruciata. E se invece viene rubata per impossessarsene, che senso avrebbe poi restitu...

– La ringrazio per avere la bontà di spiegarmi il mio mestiere – disse il dottor Corradini, continuando a camminare. – E quindi, cosa vorrebbe fare?

– Be', pensavo che potrebbe essere una buona idea andare a fare due chiacchiere con questo signor Leonardo Chiezzi.

Il questore abbassò un attimo la testa, continuando a camminare. Probabilmente, stava tentando di ricordarsi se esisteva qualche ministro, generale o alto prelato che si chiamava Chiezzi di cognome. Dopo qualche secondo, avendo evidentemente risolto per il no, il capo rialzò il capo e disse:

– Non vedo problemi. Se lo crede opportuno, faccia pure.

– Perfetto. Una volta poi sentito il Chiezzi, credo che...

– Agente Stelea, una cosa per volta. Adesso lei vada pure a sentire questo Chiezzi e mi lasci andare in santa pace al cesso. Dopodiché ci riaggiorniamo, okay?

– Agli ordini.

Magari, pensò il dottor Corradini appoggiando la mano alla maniglia del bagno. Bagno nel quale entrò pur non avendo alcun bisogno, se non quello di togliersi dai coglioni la Stelea prima che lo asfissiasse.

Ecco, ci mancava solo di essere asfissiato per questa storia.

Per la terza volta, nel corso della giornata, Costantino tentò di ricominciare a respirare normalmente.

La prima volta, il fiato gli era mancato mentre faceva scattare la serratura della 206 argento: ma, una volta appurato che nessuno aveva sentito nulla, e dopo aver verificato ancora una volta che non c'erano telecamere di sicurezza puntate su quel punto del parcheggio, il respiro era tornato profondo e regolare come al solito.

La seconda volta i polmoni gli si erano ristretti quando aveva aperto la borsa nera con il computer appena fregato, ed invece del piccolo portatile argenteo con la mela morsicata sopra si era visto un portatile più grande, color rosso fuoco, con sopra un logo aziendale. In quel caso la costrizione era durata qualche minuto, il tempo di appurare con una rapida guardata su Internet che il computer in questione era un gioiellino e che costava circa il triplo del portatile che Costantino avrebbe voluto fregare all'origine. Il Gobbo sarà soddisfatto, altro che.

Purtroppo, il Gobbo non era stato per nulla soddisfatto. A niente era valso spiegargli che il tizio evidentemente doveva avere due computer, a niente spiegargli che dopo aver fregato un'automobile, aver rapinato una casa e aver soffiato un computer si sentiva comprensibilmente un po' nervoso. Il Gobbo voleva quel computer, e non altri.

– Io le cose te le spiego, Costantino. Te le spiego a parole, va bene? Come si fa tra persone civili. Io sono sempre stato convinto che le parole bastino. Ora, siccome sei un ragazzo intelligente, non me lo far ripetere più. Gutta, per favore, lo accompagni in strada te Costantino? Abbi pazienza ma la luce delle scale s'è rotta, il condominio è rimasto al buio. Non vorrei tu inciampassi e ti facessi del male.

Gutta si alzò dal divano, posò la lattina di birra, si tirò su i pantaloni e mise una mano sulla spalla di Costantino, invitandolo ad uscire.

Da tutta la vita, Costantino aveva la consapevolezza di essere piccolo. E ne soffriva. Dai tempi del liceo, quando i suoi compagni di classe erano improvvisamente diventati dei giganti muscolosi e con la barba, e a lui non era spuntata nemmeno la barba. A sedici anni, Costantino ne dimostrava circa dodici. Il che, automaticamente, aveva fatto di lui il bersaglio preferito dei bulli, gli immancabili stronzi che trovano divertente devastare l'adolescenza di chi non è conforme al loro discutibile gusto personale.

Al giorno d'oggi, suddetti stronzi si divertono mettendo in rete, su Facebook o su altre bacheche virtuali, delle foto o dei video di cui dovrebbero essere gli unici a vergognarsi: all'epoca in cui Costantino faceva il liceo Facebook non esisteva, per cui le merde di cui sopra dovevano accontentarsi di picchiarlo. Da allora, a Costantino era rimasta una sola paura nella vita. E, quando Gutta gli aveva appoggiato la mano sulla spalla, un'altra mano non visibile ma non per questo meno concreta gli aveva stretto la trachea, e ancora non mollava del tutto la presa.

– Pronto.
– Pronto, Leo?
– Ciao Leti. Dimmi.
– Senti, io sono qui bloccata con gli scrutini, prima delle nove mi sa che non torno. A casa non c'è niente di pronto, e io di mettermi ai fornelli, stasera, proprio zero voglia. Ci passeresti mica te dal supermercato a prendere qualcosa?
– Ma certo. Ci passo subito.
– Leo?
– Dimmi.
– Tutto bene? Mi sembri un po'...

– Tutto bene, tranquilla. Sono solo un po' stanco. E un po' abbacchiato.

Capita, a chi ha appena perso il lavoro.

Non appena arrivato nell'ufficio di Tenasso, Leonardo aveva cominciato a spiegare, in presenza dello stesso e del cadaverico dottor Delneri, che cosa era successo. Nel corso del racconto, Tenasso aveva fatto solo alcune domande, con tono neutro, quasi amichevole.

– Si è dimenticato la portiera aperta? Sarebbe comprensibile. In fondo siamo dentro l'azienda, nel parcheggio interno. Non si pensa che qualcun altro possa entrare, no?

Tenasso aveva guardato Leonardo con sorprendente benevolenza. Probabilmente gli piaceva fare la parte dell'amministratore illuminato in presenza dei propri clienti. Leonardo aveva sentito di dover concedere qualcosa.

– Eh, no. Sì, credo di essermi dimenticato la portiera aperta.

Tenasso aveva annuito con partecipazione. Poi, avevano cominciato a parlare di aspetti tecnici, e la questione «computer rubato» sembrò essere stata accantonata.

Fino al momento in cui, veleggiando leggiadra, la segretaria amministrativa non aveva portato a Leonardo un foglio piegato in tre, mettendoglielo direttamente in mano.

– Suppongo sia per me – aveva detto Leonardo, simulando un tono leggero.

– Ho paura di sì – aveva risposto la segretaria, in modo parecchio pesante.

Contemporaneamente, Costantino aprì la finestra del proprio appartamentino: un po' per facilitare la ripresa della propria respirazione, certo, ma anche per tirare dalla finestra l'inutile oggetto informatico. Presolo saldamente tra le mani, Costantino si avvicinò alla finestra, guardando l'affare per l'ultima volta.

Da sopra al coperchio, la scritta «LeaderSoft» lo guardò con scherno.

Soft una sega. Ora lo senti che schianto ti faccio fare. Voli dal terrazzino te e tutta la roba che...

Un attimo. Calma.

– Pronto, Paolo?

All'altro capo del telefono, la voce dell'avvocato Chioccioli aveva risposto allegramente.

– Oh Leonardo, come va?

– Bene, insomma. Senti...

– Volevi sapere della multa? Guarda, oggi ho avuto una giornatina di quelle gremite. Appena torno a casa...

– No, no. Era solo per sapere un'altra cosa. Ce l'hai cinque minuti?

– Hai voglia. Dai, dimmi.

Dopo aver aperto una nuova finestra, questa volta virtuale, Costantino digitò le parole «LeaderSoft» nella finestrella di Google. Dopo qualche secondo, una sbandierata di risultati invase lo schermo.

LeaderSoft s.r.l. – Dal 2000 specialisti nella vostra si-
curezza.

Ah. Interessante.

Clic.

– ... e questo è tutto. Poi, oggi pomeriggio, la segretaria mi ha portato un foglio, molto neutro, dove c'è
scritto che io ho perso il computer.

– Ah – aveva detto Paolo, in un tono che a Leonardo non piacque.

– Che succede?

– Leggimi 'sto foglio, per cortesia – aveva risposto
Paolo, in tono professionale. – Dall'inizio alla fine, senza saltare nulla. Così come è scritto, leggi.

– Va bene. Comincio, allora. «Navacchio, 15 giugno
2013. Oggetto: contestazione disciplinare. Egregio
dottor Chiezzi, con la presente le contestiamo i seguen-
ti fatti: in data 15 giugno 2013 Ella posteggiava la sua
automobile all'interno del parcheggio della ditta LeaderSoft presso cui è impiegato...».

Come raggiungerci.

Clic.

*LeaderSoft ha sede a Pisa nel polo tecnologico sito in
località Navacchio, facilmente raggiungibile in automobile dall'autostrada A11 o dalla* S.G.C. *Firenze-Pisa-Livor-
no.* Quindi, apparentemente, unica sede. Questo era un
problema.

Costantino fece scorrere il medio delicatamente, leg-
giucchiando sullo schermo in modo discontinuo e sal-

tabeccando da una informazione all'altra, come facciamo tutti quando consultiamo un sito web.

Unica sede significava dover tornare lì a riconsegnare il computer, ovvero nello stesso posto dove lo aveva prelevato. Rischioso.

– «... nel corso della conversazione Ella si avviava verso l'autovettura e si avvedeva che il computer portatile le era stato sottratto. Detto computer portatile sottratto conteneva informazioni aziendali coperte da segreto industriale oltre che informazioni riguardanti la ditta...».

Chi siamo.
Clic.
La ditta LeaderSoft opera dal 2001 nel settore della sicurezza informatica e del data mining, offrendo soluzioni dettagliate on purpose, specificamente progettate per il problema di ogni singolo cliente. I nostri prodotti...
Costantino fece il primo sorriso della giornata.

Bene. Dunque la LeaderSoft era una ditta che si occupava di sicurezza software. Quindi, quel computer aveva valore non solo per quello che era, ma probabilmente anche per quello che conteneva. La ricompensa a chi lo riportava, a questo punto, non era probabile: era sicura.

– «... richiesto in merito, Ella affermava in presenza di terzi di non aver richiuso le portiere dell'automezzo una volta parcheggiatolo in sede. Ai sensi della policy sull'utilizzo degli strumenti informatici aziendali in vigore presso la nostra società, consegnatale in copia al momento dell'assegnazione del detto computer portatile, e da Lei sottoscritta in data sei dieci duemiladieci per presa visione ed accettazione, il dipendente ha un obbligo di controllo e diligente custodia del personal computer aziendale concesso in uso dalla Società, e delle relative credenziali di autenticazione».

Leonardo aveva preso fiato, in attesa di un commento di qualsiasi tipo. Che non era arrivato.

– «Restiamo in attesa di conoscere le Sue eventuali giustificazioni in merito ai fatti contestati entro il termine di cinque giorni dalla ricezione della presente. Con ogni più ampia riserva, anche sotto il profilo risarcitorio» –. Leonardo aveva ripreso fiato. – Distinti saluti, e firma. Mi stanno per richiedere i soldi del computer?

L'avvocato Chioccioli aveva fatto un lungo respiro.

– No, Leonardo. Ti stanno per licenziare.

Lavora con noi.
Cliclic.
Come firma all'avanguardia, LeaderSoft è alla continua ricerca di personale dinamico e proattivo, in grado di rispondere alle molteplici e crescenti sfide proposte dall'universo del data security e data management. Ma per cortesia. Sono entrato nel vostro cortile, ho aperto un'automobile e me ne sono andato con un computer sotto braccio. Nemmeno un regista di film porno metterebbe le telecamere di sicurezza così a cazzo come le avete messe voi. Ragazzi miei, quello che vi serve veramente è un responsabile interno alla sicurez-

za. Altro che data management. Perché no? Mi presento per caso con il tuo computer che ho ritrovato. Che ho ritrovato *sul treno*. Non so per quale motivo ma quel tizio al telefono ha detto che andava al lavoro in treno. E poi faccio notare quelle due o tre falle nei loro sistemi di sicurezza. Chi sa mai che non ci scappi un bel colloquio. Certo, per essere un rischio è un rischio. Ma c'è qualcosa che non è rischioso al giorno d'oggi?

Costantino chiuse la finestra del browser con una cliccata decisa.

Senti, chi non risica non rosica. E poi si rischia di più con quei due debosciati che con una ditta di informatica. Sarà più stronzo un ingegnere informatico o uno spacciatore con manie di grandezza?

– Sì, siamo d'accordo. Non c'è nessuno più stronzo di Tenasso. Ma adesso ricapitoliamo i fatti – si era inserito l'avvocato Chioccioli in mezzo all'invettiva leonardesca (come fonte, anche se piuttosto dantesca come contenuti). – Hai davvero detto di fronte a testimoni che non sapevi se avevi chiuso la macchina?

– Ma te guarda quel figlio di puttana... Ecco perché era così amorevole. «Capisco». «Siamo dentro il parcheggio». «Uno non si immagina certo». Speriamo l'arroti un camion carico di siringhe infe...

– Leonardo, per favore.

– Sì, scusami. Sì, l'ho detto.

– Bene. E, toglimi una curiosità...

– Sì?

– Come hai avuto quel foglietto? Ti è stato dato a mano?

– Sì.

– Intendo, qualcuno ti ha messo in mano quel foglio? O te l'ha lasciato sulla scrivania?

– No, messo in mano.

– Era dentro una busta?

– No. Ripiegato in tre e chiuso con una spilletta, tipo plico.

– Ecco. Va be', non possiamo invocare nemmeno il vizio di forma.

– In che senso?

– Vedi, se ti avessero dato una busta avresti potuto attendere cinque giorni, dopodiché al momento del licenziamento sostenere che ti era stata consegnata una busta vuota. Se non te la avessero messa in mano, ma semplicemente appoggiata sulla scrivania, avresti potuto parimenti sostenere che non ti eri accorto che te la avessero appoggiata lì, e che qualcuno per pura cattiveria l'aveva fatta sparire.

– Ho capito. A quel punto me ne ridavano un'altra uguale.

– Eh no, caro. Perché a quel punto la comunicazione non sarebbe più stata tempestiva. È fondamentale, nel licenziamento per giusta causa, che la contestazione sia consegnata in tempi rapidi. Se passa una settimana, addio tempestività.

Leonardo era restato un attimo in silenzio.

– Certo che doversi ridurre a questi cavilli da avvocato...

– Mi spiace turbare così la tua candida anima di bimbo. Casomai, la prossima volta che hai bisogno, chiama il prete, no?

– Sì, scusa Paolo. È che sono un po'...

– Me lo immagino. E comunque, nel tuo caso c'è poco da cavillare. Il tuo caro Tenasso ha fatto le cose proprio per bene, purtroppo. Mi dispiace dirtelo, Leo, ma sei virtualmente senza lavoro. Secondo me, da domani puoi anche evitare di andarci.

Venerdì mattina

Il valore di un computer sta nei dati che gli vengono messi dentro.

A tutti gli effetti, il computer è un marchingegno per trattare dati, esattamente come un robot da cucina è un marchingegno per trattare cibo; ma se le materie prime che vengono messe dentro il robot sono scadute o scadenti, e per fare il sugo invece del pomodoro di Pachino cresciuto placidamente al sole mediterraneo usiamo un pomodoraccio olandese gonfiato in serra, il sugo non avrà proprio lo stesso sapore. Con i computer è la stessa cosa.

Gli informatici (cioè una categoria di persone che preferisce mettere le mani su di una tastiera piuttosto che su di una pastasciutta) amano talmente tanto sottolineare l'importanza di questo aspetto che hanno coniato appositamente un termine: GIGO, acronimo di *garbage in, garbage out*. Se metti dentro spazzatura, ottieni spazzatura.

Questo breve paragrafetto, oltre a mostrare il corretto uso dell'allocuzione «piuttosto che», serve per illustrare per quale motivo sia Costantino che Leonardo fossero convinti che i computer portatili nelle loro mani fossero particolarmente preziosi, e che i rispettivi proprietari avrebbero voluto tanto vederseli restituiti, non fosse altro per i dati che ci si trovavano dentro. Magari, chissà, avrebbero potuto anche allungare loro una piccola ricompensa.

A casa, dopo aver telefonato per informare che non sarebbe andato al lavoro, Leonardo stava pensando.

Prima di tutto, mettersi in contatto di persona con Mancini. E questo poteva essere un problema. La cosa più naturale sarebbe stata farsi passare per un giornalista, e con un altro scrittore avrebbe anche potuto funzionare. Purtroppo, era risaputo che Giacomo Mancini aveva dei giornalisti pressoché la stessa opinione che Dante aveva dei pisani. Inoltre, farsi passare per un giornalista all'epoca di Internet poteva non essere così facile.

La seconda possibile soluzione, essendo Giacomo uno scrittore e cioè presumibilmente una persona di una cultura superiore alla media, era di farsi passare per un accademico. Un universitario, un professore di Letteratura Comparata, un qualcuno che volesse personalmente invitare Giacomo a una qualsiasi iniziativa volta a diffondere la cultura con la Q maiuscola verso il popolaccio bue. Sfortunatamente, i sentimenti che Giacomo Mancini provava verso gli accademici erano molto simili a quelli che Dante nutriva per i fiorentini.

No, se voleva parlare direttamente con Giacomo, Leonardo non doveva fare leva sull'aspetto professionale, ma su quello personale; e, per riuscire a non essere scoperto subito, doveva spacciarsi per qualcuno di un mondo che aveva scarsissime probabilità di sovrapposizioni con qualsiasi forma di cultura.

In poche parole, lo sport.

– Pronto? Parlo con Angelica Terrazzani?

– Sono io.

– Buongiorno. Sono Davide Gravaglia dell'agenzia ISM. Se ha un minuto da dedicarmi, le vorrei parlare...

– Mi scusi. Non ho mai sentito parlare di una agenzia letteraria che si chiama ISM.

– No, infatti. ISM non si occupa di letteratura, ma di sport. ISM sta per International Sports Management. In particolare, ISM rappresenta principalmente giocatori professionisti di golf. Mi scuso per non essere stato chiaro.

E questa, tecnicamente, non era una bugia. ISM è effettivamente una delle agenzie sportive più floride del pianeta, avendo tra i propri assistiti mediamente tre o quattro dei giocatori stabilmente inseriti nella top ten del più popolare degli sport da riccastri.

– Ma le pare – disse Angelica, cambiando tono. – Mi dica.

– Ecco, le vorrei parlare di una iniziativa che idealmente vedrebbe coinvolto uno dei vostri scrittori.

– Immagino che stia pensando a Giacomo Mancini.

– Esattamente. Vede, nell'estate del 2014 verrà inaugurato il nuovo diciotto buche del Manzano Golf Resort, disegnato personalmente da Gary Player. Per l'occasione, Gary Player verrà in Europa, e a quanto ho saputo il signor Player è un appassionato lettore dei libri di Giacomo Mancini. Abbiamo pensato che potremmo unire le due cose per dare maggior risalto all'evento.

Angelica fece una piccola pausa prima di rispondere. C'erano parecchie cose che le piacevano in quella proposta.

– Capisco. Debbo però premetterle che Giacomo non ama mischiare vita pubblica e vita privata, e il golf appartiene decisamente alla sua sfera privata, non so se mi capisce. Non posso darle una risposta definitiva. Questo è il genere di cose che decide lui direttamente.

Leonardo captò il rimpianto nella voce di Angelica per il fatto che ci fossero ancora cose che Giacomo Mancini decideva per conto suo.

Meglio ancora. Leonardo piazzò l'affondo.

– Senza dubbio. Senta, avrei una proposta da farle, nel nostro comune interesse. Il signor Mancini parla inglese?

– ... parlo correntemente inglese, ovviamente. Al giorno d'oggi, è imprescindibile –. Costantino fece una piccola pausa, prima di aggiungere: – È comunque tutto scritto nel mio curriculum.

Chinandosi in avanti, Tenasso posò sulla scrivania il fascicolo rilegato che Costantino gli aveva porto qualche minuto prima, e fece un piccolo cenno di approvazione con il capo.

– No, senza dubbio è un curriculum molto valido. Lo passerò all'ufficio del personale, ma temo che la nostra ditta non sia il posto giusto per le sue competenze.

– No?

Tenasso si accomodò meglio sulla sedia, incrociando le gambe.

– Vede, il livello di sicurezza della nostra ditta è principalmente demandato ai nostri dipendenti. Ognuno è responsabile dell'hardware che gli viene consegnato, sia esso un portatile, una chiavetta, un disco esterno o qualsiasi altro bene erogato. Se qualcuno smarrisce, o si fa rubare, o comunque perde il possesso dell'oggetto in qualsiasi modo, ne è responsabile e viene chiamato a risponderne. Proprio come nel caso del computer che lei mi ha riportato. Potrebbe dirmi nuovamente dove l'ha trovato?

– In treno, nello scompartimento di un treno, sopra la reticella.

Tenasso scosse la testa, con commiserazione. Costantino sentì uno spiacevole restringimento dalle parti dello sfintere.

– Tipico. Scusi se parlo male di un assente, ma la persona in questione diceva un fracco di bugie. Quando arrivava in ritardo, era sempre per colpa del treno, e mai una volta che fosse vero. Si figuri che aveva tentato di farmi credere che lo aveva messo in automobile, e che qualcuno glielo aveva rubato dentro il parcheggio interno.

– Ah be', figuriamoci – disse Costantino, chiedendosi come facesse Tenasso a non notare il cuore che gli batteva sotto la camicia. – Quindi, ora che le ho riportato il computer, mi sa che al poveretto toccherà una bella partaccia.

– Assolutamente. Un dipendente è libero di perdere il computer come e quando vuole –. Tenasso ridacchiò. – E io sono libero di licenziarlo come e quando voglio.

– Ma perché, lo sta per licenziare?

– Perché, lei a uno così darebbe un premio aziendale? – Tenasso, evidentemente fuori allenamento, smise di sorridere. – Lasci perdere, guardi. Meglio perderla che trovarla, certa gente. Allora, lei è stato gentilissimo a riportarmi questo – e Tenasso, con aria paterna, batté due o tre volte con la punta delle dita sulla superficie del portatile. – Adesso, tocca a me compiere una buona azione, giusto?

– Be', veda lei. Io non rifiuto di certo.

– Ci mancherebbe. Venga con me.

– Gary Player? Cioè, hai detto Gary Player?

– Esattamente –. Angelica controllò sul display del telefono. – Il nome era questo. Pare che questo signor Gary Player sia un tuo affezionatissimo lettore. Lo conosci, mi sembra di capire.

Giacomo prese un respiro profondo.

Sapeva che i suoi libri erano tradotti in dodici lingue, inglese compreso, e che raggiungevano i più remoti avamposti del benessere, Sudafrica compreso, ma non aveva mai pensato a quella possibilità.

Gary Player leggeva i suoi libri.

Il Cavaliere Nero, l'unico uomo al mondo in grado di vincere il British Open in tre decenni differenti, leggeva i suoi libri.

La sensazione di leggerezza che si era affacciata, quando aveva capito che Angelica non lo chiamava per il libro, gli si allargò nel petto.

– Lo conosco? Appena appena. È solo uno dei più

grandi golfisti di tutti i tempi. Dagli il mio numero prima di subito.

Eccoci.

Con in mano il numero privato di Giacomo Mancini, Leonardo provò per un attimo la stessa sensazione che provava da ragazzino, quando andava a fregare i giornalini porno all'edicola della stazione dei pullman. Mani sudate, orecchie che fischiavano e una vaga impressione che la forza di gravità avesse deciso di lasciar perdere il resto del mondo e di concentrarsi su di lui.

Senti, non stai facendo del male a nessuno. Stai solo riconsegnando un computer. Avrai diritto a chiedere qualcosa in cambio.

– Pronto?
– Pronto. Parlo con il signor Giacomo Mancini?
– Esattamente.
– Buongiorno. Senta, credo di aver trovato il suo computer portatile.
Frase semplice, neutra, amichevole.
– Potrei sapere con chi ho il piacere di parlare?
Tono per nulla amichevole. Per nulla.
– Senta, temo che il mio nome non le direbbe tanto. Quello che conta, e che credo le dovrebbe far piacere, è che al momento sono in possesso del suo portatile. Se comunque lo vuole sapere...
– Se lo voglio sapere?
Passò un attimo gonfio di silenzio.

– Se comunque lo voglio sapere? Lei telefona a casa mia, a un numero che non ha nessuno, si rifiuta di dirmi come si chiama, e mi dice di avere il mio portatile. Certo che lo voglio sapere, cazzo! Devo sapere che nome scrivere nella denuncia, brutto stronzo schifoso che rapina in casa della gente! Cosa credi, che non abbia capito chi sei?

In realtà, Leonardo non voleva dire il proprio nome perché si rendeva conto che il modo in cui aveva ottenuto il numero di Giacomo non era proprio cristallino. Però, quello era un altro paio di maniche.

– No, guardi, qui c'è un equivoc...

– Certo che c'è un equivoco. Sei te l'essere equivoco. Equivoco, immondo e pure stronzo!

– No, aspetti. Vede, io il suo numero ce l'ho perché...

– Perché quando sei entrato in casa mia e ti sei scolato il mio vino, di sicuro avrai usato il mio telefono per chiamare tua madre, per sentire se voleva una bottiglia anche lei per scaldarsi un po', povera donna che passa tutta la notte fuori all'addiaccio, col solo conforto di un lampione a cui...

Eh no, eh. Passi la domanda reiterata in stile Tenasso, ma la mamma era troppo.

– Ascolta, Philip Roth dei miei coglioni, il tuo numero ce l'ho perché me l'ha dato la tua editor. E spero che tu almeno te la trombi, perché se te la tieni per come lavora sei scemo.

Giacomo rimase completamente spiazzato, mentre gli si palesava l'agghiacciante ma non troppo insensata immagine di lui nudo sotto le lenzuola con Angelica che valutava la sua efficienza virile col goniometro prima di procedere allo smaltimento pratica. Mentre Giacomo tentava di scacciare dalla mente quell'orrore, Leonardo affondò:

– Perché se quello che c'è nel computer è il romanzo con cui «Mancini ritorna in libreria a scandagliare gli abissi della normalità», mi sa che in libreria lo piglieranno in mano solo i commessi per spolverarlo. Siamo messi parecchio male, bello di casa. Sono ottant'anni che racconti la stessa storia. Ci saremmo anche rotti le palle, sai?

E, senza aspettare risposta, buttò giù.

No.

Questa era impossibile da buttare giù.

Adesso tocca a me compiere una buona azione, vero? Venga con me.

Ora, sulla possibilità di trovare lavoro Costantino era speranzoso, ma al tempo stesso realista. Era un tentativo doveroso. Quanto alla ricompensa, invece, era pressoché sicuro. E infatti l'aveva avuta, la ricompensa. Tenasso lo aveva preso, lo aveva portato allo spaccio aziendale e gli aveva offerto la colazione.

Esattamente, avete letto bene. La colazione allo spaccio aziendale. Un cappuccino che rasentava l'indecenza e un cornetto che la rappresentava a pieno merito, quasi più difficile da mandare giù del comportamento di Tenasso.

Ora, Costantino non aveva quantificato quanto potesse valere quella restituzione, e aveva anche preventivato la possibilità che Tenasso non gli riconoscesse nessuna ricompensa per il, diciamo così, ritrovamento. Era però abbastanza sicuro che, se di ricompensa si fosse parlato, l'unità di misura più adatta sarebbero stati gli euro, non le calorie.

In altre parole, Costantino aveva la sensazione di essere stato trattato da morto di fame.

Se Tenasso gli avesse stretto la mano e basta, passi; ci sarebbe rimasto malissimo e sarebbe finita lì. Invece no, così era impossibile da buttare giù.

Per questo, adesso, se ne stava appostato in sella al motorino, a una trentina di metri dal parcheggio della LeaderSoft.

Chissà perché, aveva la sensazione che l'auto di Tenasso fosse la Mercedes grigia.

Ad ogni modo, l'avrebbe scoperto presto.

Ecco. Bravo Leonardo.

Dai e dai, stavolta hai veramente fatto la cazzata gigantesca.

Vero che aveva occultato il proprio numero di telefono, prima di chiamare, ma se Mancini andava alla polizia potevano rintracciarlo in un attimo.

Ora questo tizio è convinto che tu sia un ladro. Secondo te quanto ci mette, a chiamare la polizia?

C'è solo una cosa da fare. Devo richiamarlo subito.

Leonardo posò la mano sul telefono, e premette un bottone.

Subito dopo, abbatté la chiamata, e posò il telefono con la mano che tremava.

Sconfortato, Leonardo si guardò intorno. Gli occhi gli vagarono per qualche secondo sull'inutile paccottiglia con cui Letizia, per ragioni note a lei sola, occupava ogni millimetro utile di tavoli, mensole e ogni altro tipo di superfici orizzontali, per poi fermarsi sulla bottiglia di grappa che si stagliava orgogliosa a guardia di un temibile manipolo di nani Swarovski.

Mah, perché no? In fondo, un goccetto dà coraggio, no?

Al di là della porta dello studio, Paola accostò l'orecchio allo stipite.

Due ore prima, quando il telefono aveva squillato, Giacomo era venuto giù per le scale letteralmente di corsa per prendere la chiamata e aveva levato a Paola il telefono di mano in stile ultimo frazionista di staffetta (cosa mai vista in circa trent'anni di matrimonio), per poi rintanarsi nello studio.

Poi, subito dopo, dallo studio, al telefono l'aveva sentito litigare.

Adesso, quando il telefono aveva squillato di nuovo, stessa scena: corsa, telefono, studio. Senza cambio di testimone, stavolta.

Mentre chiudeva la porta, aveva sentito con chiarezza suo marito dire: «Cosa vuoi ancora?».

Ora era curiosa.

– Scusarmi. Principalmente scusarmi. Però, vede, quando lei si è messo a insultare mia madre...

– Lo so, lo so – intercettò Giacomo. – Diciamo che

ci siamo lasciati andare entrambi, ok? Adesso però vorrei che tu mi ridicessi quello che mi hai detto prima.

– Quando, scusi?

– Prima hai detto che non ti è piaciuto. Vorrei capire perché.

– Ma lasci perdere, mi sono arrabbiato anch'io e quindi...

– E quindi hai detto la verità. Avanti.

Leonardo prese un respiro profondo, mentre si versava il quarto bicchierino di grappa.

Sul blog stroncare era più facile. Con lo stroncando all'altro lato della cornetta, la cosa era un filino più complicata.

– Ecco, la trama di questo libro più o meno si potrebbe riassumere così: un uomo dotato di una passione fortissima e di un talento non proporzionale alla stessa passione, giunto in fondo alla propria vita, si rende conto di averla sprecata. Giusto?

– Sì. È così.

– Bene. L'ultimo suo libro che ho letto aveva più o meno questa trama: un uomo dotato di una passione fortissima per il golf e di un talento non proporzionale alla stessa passione, giunto in fondo alla propria carriera, non accetta di doversi ritirare perché mentre dedicava tutta la vita al golf ha perso il resto delle cose che gli stavano intorno, e si rende conto di essere solo come un cane.

– Sta parlando di *Ferro Nove*?

– Veramente stavo parlando di *Sabbie amare*. Questo che ha detto è quello successivo?

– No. Dopo ne ho scritti altri tre.

– Ecco perché. Vede, quando è uscito il libro successivo a *Sabbie amare*, ho chiesto a un mio amico che lo aveva letto com'era, e lui mi ha risposto: «Triste. Sai, parla di un tizio che è fissato con la pesca, e che vuole insegnare a pescare alla moglie alla quale non gliene frega niente, mentre lei gli vorrebbe insegnare a giocare a golf, e lui la accompagna a giocare anche se non gliene frega niente. E i due passano la vita a non capirsi. E alla fine sia lui che lei si rendono conto che», eccetera, eccetera. Secondo lei l'ho comprato?

– Da come lo dice, temo di no.

– Ecco. L'ho sempre detto, io, che lei è una persona intelligente. Vede, quando ho cominciato questo, avevo una strana sensazione. Dopo una ventina di pagine, vedevo già dove si andava a parare. Dopo una quarantina, ne ero praticamente sicuro.

– Però l'ha finito.

– Certo che l'ho finito. Io finisco sempre i libri che inizio. Specialmente se sono scritti bene.

– Dunque è scritto bene, almeno.

– Certo che è scritto bene. Senta, se vuole essere rassicurato sul fatto che lei sa scrivere, lo posso fare fino a domani. Però bisogna anche avere qualcosa da dire. Se non ha niente di significativo da dire e vuole semplicemente fare dei discorsi grammaticalmente ineccepibili, smetta di scrivere romanzi e si candidi per il Partito Democratico. Ma aver già detto tutto quello che uno ha da dire non è una colpa, sa? In fondo, non la obbliga mica il dottore a scrivere romanzi.

– Il dottore no – disse Giacomo, amaramente. – Il contratto, sì.

– Il contratto, il contratto – rispose Leonardo, con un singhiozzo un po' ebbro. – C'è chi ce l'ha, e chi non ce l'ha. Lei ce l'ha, e lo vorrebbe stracciare. A me lo stanno per fare a listarelle, e vorrei tanto averne uno. Anche diverso, anzi, sarebbe meglio.

– La stanno licenziando?

– A-ah –. Leonardo tentò di dissimulare un secondo singhiozzo. – Senta, lo rivuole, allora, il suo computer?

– Certo. Senta, io la mattina vado spesso a camminare sul viale delle Piagge. Potrebbe andare bene domani?

– Sissì, va bene.

– Perfetto, allora –. Giacomo rifletté un attimo. Meglio se non diceva nulla a Paola. Le avrebbe fatto la sorpresa. – Potremmo vederci in cima, da Salvini, domani verso le dieci. Se uno è in macchina, è abbastanza comodo.

– Magari. Non posso usarla.

– Guasta?

– Fermo amministrativo.

– Però –. Giacomo si permise una risatina amara, non senza una punta di godimento. – Praticamente senza macchina, e quasi senza lavoro. È un bel periodo, per lei. Cosa ha fatto, si è ubriacato sul lavoro?

– No, ho perso un computer.

Paola si tirò su di scatto, allontanandosi velocemente, con la faccia color porpora.

Ci siamo lasciati andare entrambi? Non ti è piaciuto?

Poi Giacomo aveva cominciato a parlare a voce troppo bassa per essere intelligibile. Quasi a tubare. Non aveva capito più nulla, tranne una cosa.

Potremmo vederci in cima, da Salvini, domani verso le dieci.

Sì sì. Ci vediamo da Salvini tutti, domani verso le dieci. Si fa una cosa a tre. Io porto anche il telefonino per riprendere tutto. Te, il viale e questa troia che vai a trovare sul viale.

Venerdì notte

Seduto nell'auto di Tenasso, Costantino pensava a cosa fare.

Ad entrare nell'auto, ci era riuscito: Costantino aveva fregato il segnale all'a.d. al momento in cui questi era uscito dalla ditta, essendo Tenasso uno di quei gonzi che aprivano la propria auto a trenta metri di distanza, per venire salutati da un compiacente lampeggiare dei fanalini e far vedere a chiunque nel raggio di trenta metri che quella Mercedes è la tua, sissì, proprio la tua. Dopo di che, il nostro si era messo alle calcagna di Tenasso fino all'arrivo a casa dell'amministratore delegato, suggellato da un parcheggio in due manovre semplicemente perfetto.

Sul luogo, Costantino era tornato verso le due, armato di UCG e di computer portatile (il suo personale, che d'ora in poi non verrà più coinvolto nella storia); e, dopo una quarantina di minuti, la portiera della Mercedes era scattata, mentre Costantino si lasciava sfuggire un piccolo spasmo di esultanza.

Aprire un'automobile dopo aver clonato il segnale di riconoscimento radio della chiave, oggi come oggi, non è facile. Un tempo, i segnali di riconoscimento e di apertura corrispondevano, e venivano trasmessi per mezzo di raggi infrarossi, il che ad esempio permetteva di aprire le portiere delle Renault 5 con il telecomando della televisione. Al momento, lo stato dell'arte della sicurezza automobilistica prevede un fitto dialogo a sedici bit tra la chiave e l'automezzo: un po' come se l'auto, dopo essere stata rintracciata dalla chiave ed averla riconosciuta come collega, le chiedesse «dimmi un po', qual è il numero di telefono che compare per ventesimo a pagina sedici dell'elenco aziendale?».

Per trovare il numero giusto si può sfruttare la potenza di calcolo di un computer collegato alla chiave (che prova un numero a caso ogni centesimo di secondo) e l'infinita pazienza di un mezzo meccanico privo di coscienza e di altre cose da fare (che non vi manda a fare in culo al ventesimo tentativo sbagliato, ma sta lì buono ad ascoltarvi).

Anche riuscendoci, entrare nell'auto era solo metà dell'opera; l'altra metà consisteva nel far partire il motore. Per fare questo era necessario collegare fisicamente l'UCG alla centralina elettronica, e questo si poteva fare solo attraverso la finestra diagnostica. Ovvero, quell'entrata che usa il vostro meccanico (quando gli portate l'auto perché vi si accende la spia dell'olio senza motivo) per collegarci un piccolo palmare, scuotere la testa, dire «eeeh, qui è un lavorone» e in seguito chiedervi centosessanta euro.

La finestra diagnostica, per normativa europea, deve essere accessibile, e di solito si trova sotto il volante. Di solito, perché alcune case automobilistiche la mettono nel cofano motore. Esattamente come nel caso dell'auto di Tenasso.

Ora, un conto era trafficare dentro l'abitacolo, comodamente appoggiato sui prestigiosi sedili ergonomici in pelle dal design raffinato ed esclusivo, al riparo da sguardi indiscreti, e un conto era mettersi ad armeggiare dentro il cofano di una macchina non tua. Va bene che non c'era nessuno in giro, ma chiunque da una finestra poteva trovare strano che un tizio strapanato mettesse le mani nel cofano di una Mercedes alle tre e un quarto di notte.

Deluso, Costantino si guardò intorno. Gli sarebbe veramente piaciuto fregare l'automobile a quello stronzo tronfio e supponente, ma non c'era veramente nulla da fare. Mentre apriva il bracciolo per un ultimo controllo privo di speranza, vide qualcosa di traslucido. Con cautela, infilò il braccio, e ne estrasse un badge elettronico di riconoscimento.

Ingegner Pierpaolo Tenasso, amministratore delegato.

Amministratore delegato?

L'intenzione di Costantino, nel fregare l'automobile a Tenasso, non era quella di appropriarsene o peggio ancora di portarla al Gobbo; l'intenzione era semplicemente quella di fargli un dispetto portandogli via qualcosa a cui teneva. E a cosa tiene più dell'auto, un tizio del genere che si impicca da solo con la sua stessa cravatta?

La risposta era semplice.

Al suo lavoro.

Lo stesso lavoro che Costantino, con la sua alzata d'ingegno, aveva fatto perdere a un tizio che non conosceva; cosa che lo faceva star male dalla mattina. Rimediare, non poteva più. Ma condividere la vendetta, sì.

Con un sorriso maliziosetto, Costantino si infilò il badge nel taschino.

Bene, bene, bene. Adesso la cosa che mi serve è un'automobile che funzioni. Credo giusto giusto di sapere dove trovarne una. Via, facciamo presto.

E, mentre appoggiava la mano sull'apriporta, l'altra mano inconsapevolmente accarezzò la finissima pelle color testa di moro dei prestigiosi sedili (dal design, lo ricordiamo, raffinato ed esclusivo).

In fondo, Tenasso gli aveva offerto la colazione.

Era giusto che apprezzasse appieno tutte le naturali conseguenze del suo gesto.

Il capo era intelligente. Il capo vedeva in avanti.

Per questo il capo aveva detto a Gutta di sorvegliare le mosse di Costantino. Perché sapeva che Costantino si stava comportando in modo scorretto. Per questo Gutta, quella notte, stava seguendo Costantino con discrezione. Perché aveva fiducia nel capo.

E quando vide Costantino entrare in una 206 color argento, Gutta aspettò che partisse. Quando passò sotto al lampione, lesse la targa con facilità.

CJ 063 CG.

Gutta, d'abitudine, quando guidava un'auto guardava la targa. Un comportamento che aveva preso in Romania, quando era militare e guidava i camion della sussistenza. E si ricordava le targhe di tutti i mezzi che aveva guidato in vita sua. Inclusa la macchina con cui avevano fatto il furto pochi giorni prima.

Le stesse lettere, le stesse cifre.

– La stessa auto. Ci è entrato tranquillo, senza armeggiare, ed è partito.

Gutta confermò restando zitto. Dopo qualche secondo, la voce del Gobbo uscì netta dal cellulare.

– Te l'avevo detto io che c'era qualcosa che non tornava. Usano l'auto in comune, come punto di scambio, lui e quell'altra merda che gli piazza la roba, ci scommetti? Ora secondo te lui cosa c'è andato a fare, alle tre di notte, con quella macchina?

La domanda era piuttosto retorica, per cui Gutta continuò a tacere.

– Te pensa che faceva tanto il santarellino. E questo lo devo vedere, e questo non si può fare, e questo non l'ho mai fatto... Ascolta, facciamo così. Questa cosa mi sa troppo di abitudine. Come l'ha presa, quella macchina la rilascia. Ascoltami ammodino, eh...

Non faccio altro, avrebbe potuto dire Gutta. Ma non lo disse, e nemmeno lo pensò. Il capo era il capo.

Erano circa le quattro e dieci, e la strada era ancora buia, quando la 206 color argento svoltò nella strada da cui era partita un'oretta prima. Dopo essersi accostata al marciapiede, l'auto si ritrovò parcheggiata esattamente nello stesso posto che aveva lasciato. Dopo un attimo la portiera si aprì, e ne uscì Costantino. Il quale, richiusala con delicatezza, si guardò intorno e se ne andò fischiettando.

Se avesse guardato meglio, forse Costantino avrebbe potuto vedere che a una trentina di metri di distanza, nascosti dietro un furgoncino, c'erano due tizi dall'aspetto piuttosto equivoco che lo spiavano attraverso il parabrezza del mezzo.

Il Gobbo, con le mani a visiera, appoggiò la fronte al finestrino. Dopo un secondo, si tirò su trionfante.

– Dimmi te se non avevo ragione. Guarda un po'.

Gutta, con lentezza, ripeté quanto aveva fatto il Gobbo.

Sul sedile posteriore della 206, impilati in bell'ordine, c'erano una ventina di computer portatili.

– E bravo Costantino. Sembrano proprio belli e nuovi nuovi, vero? Dai, su. Ora che Costantino ha fatto tutta questa fatica, sarebbe brutto non dargli soddisfazione. Ce l'hai dietro qualcosa di adatto?

Un vero professionista, si sa, non esce mai di casa senza portarsi dietro i ferri del mestiere. Costantino, che era un perito elettronico, aveva sempre dietro l'UCG; Gutta, che era un violento, non si muoveva mai senza il suo piede di porco. Dopo aver estratto l'oggetto dai pantaloni, Gutta lo insinuò tra lo sportello e il telaio, dopodiché ci si appoggiò sopra con decisione.

La portiera, all'inizio, si imbarcò con un gemito forzato. Poi, di schianto, cedette.

– Buono –. Il Gobbo ridacchiò, guardando il compare. – Ora mi raccomando, non... anzi, no. Lo sai cosa si fa? Si prendono tutti tranne uno, come ha fatto lui. Gli ci si lascia la firma. Tanto che non gli possan venire dei dubbi su chi è stato, al signor proprietario della 206.

Sabato mattina

– Dunque. Dicevamo che non ci sono segni di effrazione di nessun tipo. Nemmeno alle porte degli uffici, o...

– Non ce n'è stato bisogno. Chi è entrato aveva il
mio badge.

Di fronte alla scrivania dell'ingegner Tenasso, Corinna smise di scrivere per un momento.

– Ne è sicuro?

– Solo il mio badge permette di accedere alla mia stanza. E il mio badge mi è stato rubato stanotte. È stato
preso dalla mia automobile.

– Dall'automobile?

Tenasso sbuffò.

– Vede, signorina...

– Agente.

– Mi scusi. Vede, agente, io ho l'abitudine di lasciare il badge in automobile quando esco dal lavoro. Me
lo levo e lo metto nel bracciolo. Poi, la mattina, appena entro in auto lo prendo dal bracciolo e lo indosso.
Lo faccio ogni mattina da vent'anni. Ma stamani,
quando sono entrato in auto, mi sono accorto subito
che il badge non era più al suo posto.

– Potrebbe averlo lasciato da qualche parte nel tragitto? Si è fermato...

– Da nessuna parte. Ieri sera, quando sono uscito dall'auto, il badge era al suo posto nel bracciolo. Aggiunga che qualcuno stanotte è entrato all'interno della mia auto – disse Tenasso diventando lievemente rossiccio – e credo sia facile arrivare alla conclusione.

– Ah. Qualcuno è entrato nella sua auto. E come è entrato? L'ha lasciata aperta?

Tenasso salì di un gradino sul pantone del rosso.

– Io non lascio aperta la portiera dell'auto, agente.

– Quindi hanno forzato la portiera? Lei ha...

– Assolutamente. L'automobile esternamente non presentava nessun segno di effrazione. Il ladro deve aver trovato il modo di tracciare il segnale della mia chiave.

– Capisco. E allora, mi scusi, come fa ad essere sicuro che qualcuno è penetrato all'interno della sua auto?

Il rossore sul volto di Tenasso si accese ulteriormente.

In effetti, anche se esteriormente l'automobile non presentava segni di effrazione, non appena all'interno Tenasso si era reso conto che qualcuno doveva essere entrato nel corso della notte. Questo non aveva richiesto particolare sagacia, dato che quel qualcuno, chiunque fosse, gli aveva fatto la cacca nell'abitacolo.

Tenasso si era reso conto della scomparsa del badge solo in un secondo momento, dopo essersi liberato del reperto numero uno. Ma, per quel curioso meccanismo dell'essere umano per cui riusciamo a vergognarci di cose che troviamo ripugnanti, anche quando non ne abbiamo nessuna responsabilità, Tenasso aveva enormi difficoltà a esplicitare di fronte ad una donna il fatto che un ignoto gli aveva deposto un randello di merda sul sedile del guidatore.

– C'erano tracce inequivocabili.

– Capisco.

– Posso farle una domanda?

– Prego. Anche due.

Giacomo e Leonardo si erano messi a un tavolino, ognuno dei due con un caffè davanti, una sedia sotto e un tantino di imbarazzo dentro. Fuori, intorno a loro, l'usuale contorno di clienti dei bar sul viale delle Piagge, ovvero persone di età tra i quattro e gli ottanta che non hanno né bisogno né tantomeno voglia di lavorare.

Giacomo, con il computer in mano, aspettò un secondo prima di formulare.

– Ho capito che si è ritrovato il computer in macchina. Fra l'altro, che macchina mi ha detto che ha?

– Una Peugeot 206.

– Non me ne intendo. È piccolina?

– Be', sì.

Giacomo dondolò la testa, lentamente. Mica scema, la poliziotta alta.

– Se mi ricordo bene, nel computer non c'è niente che possa farlo risalire a me. Il computer è di proprietà della casa editrice.

– Sì, è così.

– Allora, come ha fatto a capire che quello era un mio romanzo?

Leonardo giocherellò per un momento con la tazzina del caffè.

– Potrebbe sembrarle un po' incredibile...

– Mi stupisca, allora.

– Be', principalmente dalla punteggiatura.

Giacomo non reagì in nessun modo. Leonardo, con cautela, continuò:

– Vede, ognuno di noi ha un modo peculiare di usare la punteggiatura. E nessuno, o quasi nessuno, usa la punteggiatura in modo corretto. Alcuni vizi sono palesi, e comuni, come abusare dei tre puntini di sospensione, o non avere idea di dove cacchio vanno messe le virgole. Ma quasi ognuno di noi ha un errore nell'uso della punteggiatura che ha fatto proprio, e che diventa una specie di tratto distintivo.

Giacomo si sporse lievemente verso Leonardo.

– E il mio quale sarebbe?

– È il punto e virgola. Vede, lei usa spesso il punto e virgola quando invece andrebbero usati i due punti. Secondo me, e non solo secondo me, il punto e virgola è una specie di piccolo regalo a chi legge. Un modo amichevole per dirgli «Guarda, non dovrei dirtelo, ma le due frasi complete che leggi prima e dopo di me in realtà sono in relazione. Non ti dico quale relazione, ma se sei un lettore sei talmente intelligente che puoi arrivarci da solo». Lei invece usa il punto e virgola anche per concetti che stanno in relazione di causa ed effetto.

156

Mentre Leonardo parlava di punteggiatura, a Giacomo cominciò a maturare nel cervello un'idea vagamente folle.

Da troppo tempo, ormai, Giacomo non riceveva più critiche sincere. Oppure aveva perso la capacità di recepirle, di questo non era sicuro. Perché da quando era diventato uno scrittore di una certa fama le persone gli parlavano in modo diverso.

Quando aveva iniziato a scrivere, i primi lettori e contemporaneamente i suoi primi editor erano stati i suoi amici, e le osservazioni gli arrivavano direttamente sulle pagine del manoscritto, con annotazioni a margine tipo «Manzoni è morto cent'anni fa» o «scusa se la pagina è tutta sbavata, ma mi ci sono addormentata sopra», e non di rado corredate da lupi ululanti e altri disegnini osceni.

Adesso, invece, venivano dette in modo timido, con delle circonlocuzioni, o delle allusioni, o taciute del tutto.

Quello di cui era sicuro era che ormai importava che il libro lo scrivesse lui, non come il libro veniva scritto. Le osservazioni puntuali, le incongruenze, gli inevitabili errori che uno compie quando fa qualcosa, ciao.

Come se Maradona non avesse mai sbagliato un rigore.

Come se Einstein non avesse mai preso delle cantonate.

Se sbagliavano loro, come si poteva pretendere che Mancini facesse le cose perfette alla prima?

E come si poteva pretendere di lavorare con un editor a quel modo?

Quando Giacomo era giovane, gli editor si chiamavano ancora «curatori editoriali», ed erano quasi sempre maschi con cui si poteva venire alle mani tranquillamente. Adesso, Giacomo lavorava con una donna che non avrebbe nemmeno capito il termine «curatore», e nei cui confronti il massimo della violenza raggiungibile senza rischiare la denuncia era portarla in un ristorante che non serviva piatti vegetariani.

Ah, e poi c'era un piccolo particolare: quando Giacomo era giovane gli editor li leggevano, i libri. Angelica, invece, con tutte le presentazioni da organizzare e le interviste da sollecitare e i fondamentali studi sui colori delle copertine, non riteneva necessario doversi sobbarcare anche questo compito.

Questo tizio, invece, leggeva con un'attenzione e una competenza da brividi.

– La punteggiatura. Capisco. Senta, potrei chiederle un'altra cosa?

– Certo.

– Ci sono degli errori nel mio libro? Errori, incongruenze, punti in cui la storia rallenta...

– Be', dovrei rileggerlo. Comunque sì. Per esempio, quando lei parla dei frattali...

Giacomo si alzò, invitando Leonardo a fare altrettanto con un gesto della mano.

– Senza fretta, senza fretta. Le va di fare una camminata?

– Quindi, possiamo ragionevolmente supporre che le abbiano sottratto il badge dall'auto.

Corinna, camminando a fianco dell'ingegner Tenasso, stava percorrendo il corridoio della LeaderSoft.

– In ogni caso, lo hanno utilizzato per entrare. Per portare via il mio portatile sono dovuti entrare nella mia stanza. Per entrare, e per portare via gli altri sedici, avrebbero potuto usare un badge qualunque.

– Dunque anche per entrare si usa lo stesso badge.

– Esattamente. Il ladro è entrato strisciando il badge. Lo si può vedere dalle immagini della sicurezza.

Corinna rialzò la testa. Questa era una notiziona.

– Avete un sistema a circuito chiuso?

– Certamente. Si vede una persona in passamontagna parcheggiare, entrare, e dopo un quarto d'ora uscire con una bracciata di computer. E andare via.

– Un quarto d'ora. Non è molto tempo. E si vede l'automobile?

– Con una certa chiarezza. Le faccio preparare un duplicato?

– Sarebbe l'ideale. Intanto, mi dica: lei ha parlato prima di diciassette computer rubati, in totale.

– Esatto.

– Quanti dipendenti ha la sua ditta, di preciso, lo sa?

– Ventidue. Ma per poco. Stiamo per risolvere un contratto.

– Cioè, state per licenziare qualcuno?

– Non possiamo fare altrimenti. Lei pensi che...

– Sì, ingegnere, sono sicura che avrà avuto le sue buone ragioni. Non voglio entrare nel merito delle sue decisioni. La persona in questione sa di essere in procinto di perdere il lavoro?

– Certo. Quando si ricorre alla giusta causa, i fatti devono essere contestati con tempestività. La persona in questione è stata debitamente informata, a norma di legge.

– Lei crede che questa persona potrebbe avere del risentimento nei suoi confronti?

Tenasso fece un sorrisetto amaro.

– Non è improbabile.

– Capisco. A proposito, potrei avere il suo nome?

– No. Sarebbe meglio di no.

– Ah –. Giacomo mantenne il ritmo della camminata. Accanto a lui, in affanno notevole nonostante l'età parecchio meno avanzata, Leonardo annuì scuotendo la testa come solo i mediterranei sanno fare.

– È meglio di no perché, se dobbiamo fare questa cosa, preferisco restare anonimo. Un po' come i referee di una rivista scientifica, capisce?

– No. Non ho mai pubblicato un articolo su una rivista scientifica.

– Ecco, se lei manda un lavoro a un giornale scientifico, la prima cosa che fa l'editor, dopo essersi assicurato che l'articolo non sia una roba completamente implausibile, è di mandare il lavoro a un certo numero di esperti del settore, detti referee. Questi leggono il lavoro e rispediscono indietro i loro giudizi all'editor, il quale a sua volta li inoltra a lei –. Leonardo, visto che stava parlando con uno scrittore, rimise al suo posto il congiuntivo. – Però a lei i commenti dei referee giungerebbero in forma assolutamente anonima. Non avrebbe modo di risalire a chi li ha mandati, ed è un bene.

– Perché altrimenti li andrei a cercare con la mazzetta da cinque chili? – Giacomo, mantenendo il passo, ridacchiò.

– Esattamente. Se il referee è un esperto del settore, quasi sicuramente è una persona che conosce. Magari è anche sua amica. Ma un suo amico potrebbe trovarsi in grave imbarazzo a dirle in modo diretto che il suo lavoro è buono per pulire il culo ai maiali. Se invece lo fa in forma anonima, lo fa meglio. In modo più diretto, e più sincero.

Giacomo, continuando a camminare, iniziò ad annuire in modo lento, e non troppo convinto. Quindi, con fare amichevole, mise un braccio attorno alle spalle di Leonardo.

– Come quando mi ha detto che racconto sempre la stessa storia, insomma. Senti, ti proporrei di iniziare questa nostra, diciamo così, relazione allo stesso modo. In modo sincero. Ti va?

– In che senso?

– Ascolta, bello, il fatto che da un po' di tempo sia ripetitivo quando scrivo non significa che sia completamente rincoglionito. Sei un lettore in gamba, e un osservatore arguto, e io in questo momento ho bisogno delle tue osservazioni. Mi sta benissimo non sapere come ti chiami, se così ti piace, ma non mi prendere in giro con questa storia degli arbitri esterni. Lo capisco benissimo quando una persona mi dice una cosa per un'altra. Se non hai voglia di dirmi come ti chiami, liberissimo –. E qui Giacomo batté due pacche bonarie sulla spalla di Leonardo. – Se non hai voglia di dirmi il motivo, liberissimo. Ma non tentare di vendermene uno finto, perché mi incazzo.

– L'ho notato – rispose Leonardo. – Intendo, che si incazza facilmente.

– Bah, mi sembra che qui siamo in due. Vero, Philip Roth dei miei coglioni? – Giacomo ridacchiò. – Meno male, almeno quando finirò nel quinto cerchio avrò un po' di compagnia.

– Sì, lì ho un po' esagerato. Ero anche un po' sbronzo. Sa, per farmi coraggio.

– Eh be', a volte ci vuole. Anzi, a questo proposito...

Paola rispose al sesto squillo.

– Pronto – disse, con voce bassissima.

– Pronto signora – disse l'inconfondibile voce di Seelan. – Spero che non disturbo.

– No, no... – mentì Paola.

– Volevo solo dire che ho capito che sarebbe rimasta fuori tutta mattina, e allora detto mia moglie di preparare qualcosa per pranzo, per voi – disse Seelan, diligente. – Lasciato tutto in casa, su tavolo di cucina.

– Oh, Seelan. Che pensiero gentile. Grazie.

– Sono quattro ciotole, su tavolo di cucina. In quella verde, c'è riso con chapati.

– Sì, Seelan...

– In quella gialla, c'è samosa di piselli con patata – insisté Seelan, con la tipica pedanteria di quelli che non fanno una sega nemmeno se li ammazzi, quando portano a termine un compito che nessuno ha assegnato loro. – In quelle due blu, la grande c'è pollo al burro e sesamo, e quella piccolina c'è chutney di mango. Spero loro piaccia.

– Senza dubbio, Seelan. Grazie ancora, davvero. Non vedo l'ora.

E buttò giù, rimettendo il cellulare in tasca, senza distogliere lo sguardo dal marito che passeggiava placidamente sul viale delle Piagge, col braccio intorno alle spalle di un giovane sui trent'anni, dai riccioli biondi e un po' cicciottello.

In realtà, in quel momento, Paola non aveva molta fame.

Sabato pomeriggio

– Un attimo di pazienza... ecco.

Sullo schermo del computer, apparve l'immagine in bianco e nero di una porta a vetri. Nell'angolo in basso a destra, un orologio digitale segnava le zerotre e cinquantasei in modo piuttosto assertivo.

– Ecco. Questo è l'ingresso principale della Leader-Soft.

– Lo riconosco – disse Leonardo, senza guardare Corinna.

– Allora dovrebbe riconoscere anche l'oggetto che sta entrando nell'inquadratura in questo momento.

Dal lato destro dello schermo, si insinuò l'immagine di un'automobile, una Peugeot 206 dal colore indefinibile – grigio, o forse argento – che si accostava con circospezione al marciapiede.

Alla luce del lampione, la targa si leggeva con chiarezza.

– Come dicevo. Questo è l'ingresso principale della LeaderSoft...

L'auto si fermò, esattamente davanti alla porta d'ingresso.

– ... questa è la sua auto...

La portiera del lato guidatore si aprì, e ne uscì un tipo in maglietta e casco.

– ... e quindi questo dovrebbe essere lei.

– Sì, magari.

– Come?

Leonardo si sporse sulla seggiola, e puntò l'indice verso l'immagine dell'ignoto pilota.

– Mi scusi, ma quel tipo lì peserà trenta chili con addosso i vestiti bagnati. Mi ha visto bene, a me?

Corinna, dopo aver dato una rapida occhiata a Leonardo, riportò gli occhi sullo schermo. Leonardo, pur non potendosi definire grasso, era effettivamente un po' robusto. A Corinna ricordava vagamente Alberto Tomba. Il tizio di profilo sullo schermo, magro magro e con il casco, più che uno sciatore sembrava la bandierina dello slalom speciale.

– Ciò non toglie che lei potrebbe conoscerlo.

Senza alzarsi dalla seggiola, Leonardo avvicinò il naso a circa sette nanometri dallo schermo, strizzando gli occhi. Dopo una decina di secondi, scosse la testa con fare sconsolato.

– Potrei anche. Sa, con questo casco addosso non è che sia facilissimo.

– Mi sta prendendo in giro?

– Perché, sono io che sto prendendo in giro qualcuno?

– Signor Chiezzi, stia attento a come parla.

– Mi scusi. Però, abbia pazienza, sono un po' nervoso. La settimana scorsa mi fregano l'automobile. Ieri combino un casino al lavoro, e di conseguenza sto per essere licenziato. Adesso scopro che qualcuno, stanotte, mi ha fregato di nuovo l'automobile per rapinare la ditta dove lavoro. Qualcuno che, secondo lei, potrei essere io. Abbia pazienza, ma credevo sinceramente che certe cose succedessero solo ai personaggi di Kafka.

– Capisco il suo sconcerto. Ora lei provi a capire me. Innanzitutto, lei è un po', come dire, sfortunato. Le rubano l'auto due volte nella stessa settimana. Non capita spesso. Però chi le ruba l'auto è così gentile da lasciarla intatta, senza nemmeno un graffio. La seconda volta che gliela rubano, inoltre, la utilizzano per fare una rapina, guarda caso nello stesso posto dove lei lavora, e dal quale sta per essere licenziato. Stavolta, però, nemmeno denuncia il furto.

Leonardo tentò di non perdere il controllo. Dopo un respiro profondo, rispose lentamente:

– Guardi, non ho denunciato il furto perché l'automobile stamattina manco l'ho cercata. Non la posso usare. C'è un fermo amministrativo sopra.

– Capisco. Quindi non sa se l'automobile è ancora al suo posto.

– No. Se vuole, posso scoprirlo subito. Telefono a mia moglie, che dovrebbe essere in casa, e le chiedo subito di controllare.

– Prego.

– Pronto, Leti.

– Oh, Leo. Com'è? T'arrestano allora, stavolta?

– Guarda, non è il caso di scherzare. Sono qui con un agente che sta controllando alcune cose. E…

– E...?

– Dovresti, per favore, controllare se c'è sempre la macchina.

– Ah, io non l'ho usata.

– Sì – rispose Leonardo, dopo un bel respirone. – Siccome però pare che stanotte ce l'abbiano fregata di nuovo, allora...

– Ma... Aspetta un attimo. Dove l'hai parcheggiata?

– Al solito posto.

– Allora guarda, te lo dico subito. Tanto dalla finestra la ved...

Passò qualche attimo di silenzio.

– Leti?

Dal telefono, in vivavoce, giunse un lamento.

– No. No. Nooo...

– Leti?

– Leti un cazzo! – Attimo di silenzio. – Ma che merde! Ma io...

– Non c'è più, eh?

– No, no. La macchina c'è sempre. Ci hanno sfondato la portiera, ma c'è.

– Come, sfondato la portiera?

– Come? – La voce di Letizia, attraverso il vivavoce, rimbombò metallica. – Ma cosa ne so io, come! Con un piede di porco, con un bastone, con un qualsiasi oggetto a forma di leva che spero ci inciampino e se lo ritrovino conficcato nel cu...

– Leti, scusa – tentò di arginare Leonardo, mentre Corinna guardava lo schermo – quale portiera?

– Eh?

– Vorrei sapere quale portiera ci hanno sfondato. Parla piano perché sei in vivavoce, ti sentiamo tutti.

– Ah –. Letizia si fermò un attimo. – La portiera dietro, sul lato sinistro.

– Sul lato sinistro... cioè, se io guidassi, sul mio lato sinistro?

– Eh. Sul lato sinistro. Dietro a quella del guidatore.

– Sei sicura?

– Dio Cristo, Leo, lo saprò qual è la destra e la sinistra? La portiera sinistra, quella dietro al guidatore. Quella dietro alla quale non c'è il bocchettone per fare benzina –. Ci fu un momento di silenzio, mentre Letizia verosimilmente tentava di calmarsi. – Leo, me lo dici che succede?

Leonardo, seguendo lo sguardo di Corinna, verificò per la quarta volta quello che già aveva visto benissimo. E cioè che l'auto, alle quattro e dodici minuti, la portiera in questione ce l'aveva intatta.

Mentre continuava a guardare lo schermo, Corinna si voltò verso di lui. E lo guardò.

Se dovessi scegliere fra credere a te o all'esistenza di Babbo Natale, dicevano quegli occhi, sarei già in cartoleria a comprare delle buste piccole.

– Leti, se lo sapessi te lo direi.

– ... certo che no, Angelica. Se lo sapessi, te lo direi. Comunque, sta di fatto che ho di nuovo il computer. E il romanzo. Ho solo bisogno di qualche giorno perché devo cambiare qualche capitolo...

Giacomo si allontanò dalla porta, e Paola incominciò a sentire le parole che si confondevano.

– ... sì, il corpo del romanzo rimane invariato. Cambiano i capitoli della conferenza, quelli dove il protagonista si racconta. Ti ricordi che te ne avevo parlato? Va be', comunque fidati. Dà tutto un altro senso alla storia, è come se...

Paola perse di nuovo il filo del discorso.

L'unica cosa che aveva capito era che Giacomo era riuscito a mettere di nuovo le mani sul computer, evidentemente. E che non aveva nessuna intenzione di dirglielo.

– ... ma no, è un'idea che è venuta così. Ma non mi è venuta da solo –. Giacomo ridacchiò – Diciamo che è stata la mia nuova musa ispiratrice. Senti, se allora...

Paola, con estrema lentezza, si scostò dalla porta.

Aveva paura di sentire di più.

– Ho paura che ci serva di più – disse il dottor Corradini, posando il fascicolo.

Corinna resistette alla tentazione di alzare gli occhi al cielo.

– Ma, dottor Corradini...

– Niente ma, agente Stelea. Prima di muoverci ci serve di più. Ci servono fatti che leghino tra loro delle persone. Quello che lei mi sta portando non sono altro che correlazioni. Intendiamoci... – il dottor Corradini si protese per un attimo verso Corinna. – Io non ho il minimo dubbio che quello che lei mi ha esposto non sia legato al furto Mancini, e che questo signor Chiezzi non ci sia coinvolto, ma prima di muoverci dobbiamo trovare qualcosa di sicuro. Queste, ripeto, non sono altro che correlazioni.

– Non capisco, dottor Corradini.

Il dottor Corradini giunse le mani sopra la scrivania, con le dita puntate verso Corinna, in atteggiamento di preghiera minacciosa.

– Allora, mettiamo che lei scopra che la frequenza di incendi dolosi nel corso dell'anno, analizzata settimana per settimana, aumenta di pari passo con il quantitativo di gelati che viene venduto. Cosa ne dedurrebbe?

– Be', che è logico. Entrambe le quantità aumentano quando è estate.

– Esattamente. Adesso, per fermare gli incendi dolosi, lei riterrebbe opportuno bloccare le vendite di gelato, o arrestare tutti i gelatai?

– Be', no. Sono due conseguenze entrambe.

– Eccoci. Bravissima. Sono due conseguenze entrambe. Bisogna fare attenzione a questa cosa, agente Stelea. Due cose che vanno a braccetto, che succedono sempre l'una contemporaneamente all'altra, non sono necessariamente l'una causa dell'altra.

Corinna assentì.

– Ho capito. Quindi...

– Lo sa cosa dicevano i latini? – continuò imperterrito il dottor Corradini. – *Cum hoc, ergo propter hoc*. Insieme a questo, quindi a causa di questo. Ma noi non siamo latini, agente Stelea.

Ma perché certe persone continuano a spiegarti le cose, anche quando è palese che hai capito benissimo? E più sono vecchie cariatidi, e più te lo devono spiegare otto volte. Si risparmierebbe tanto tempo. T'ho detto che ho capito, significa che ho capito. E che cazzo.

– Dobbiamo sforzarci di capire chi è questo signor Chiezzi. Che ruolo ha, con chi è in contatto. Se lo pagano, e come lo pagano. Ecco, cominciamo da questo, agente Stelea. Sa come diceva Giovanni Falcone? *Follow the money*, diceva. Segui il denaro, e troverai la verità. Ecco, seguiamo il denaro. Proviamo a vedere da dove arrivano, i soldi, a questo signor Chiezzi, e dove li spende.

Domenica mattina

– Mamma mia, che disastro. È successo stanotte?

– Macché – disse il barista. – È già da iermattina che è a quella maniera. L'ho vista quando sono arrivato per apri' ir barre.

– Presto presto, quindi.

– Guardi, massimo massimo le sei e mezzo.

– E la portiera era già divelta in quel modo lì?

– Dio bono – confermò l'uomo, posando il bicchierino davanti a Corinna. – Tutta aperta, dall'arto ar basso. Come è ora. Guardi lì.

E il barista, con un cenno, indicò la Peugeot 206 parcheggiata esattamente di fronte alla pasticceria.

Corinna si voltò verso l'auto, la cui portiera posteriore sinistra stava ululando muta verso il cielo tutto il suo dolore per l'ingiusta violenza subita.

E quindi, anche la sua tesi andava a farsi benedire.

Follow the money, aveva detto il dottor Corradini. Probabilmente pensava di trovarsi in mezzo a un pericolosissimo traffico internazionale di computer, vini raffinati e altri beni legalmente commerciabili.

Purtroppo, dalla carta di credito del Chiezzi Leonardo, Corinna era stata in grado di evincere che c'erano solo due voci che si ripetevano con regolarità: una fonte di entrata (lo stipendio della LeaderSoft, ahilui in vista di svanire) e una fonte di uscita (la libreria principale della città, dove il Chiezzi lasciava con cadenza settimanale delle buche da ottanta-cento euro a botta). Nessun'altra fonte di guadagno, nessun altro prelevamento regolare e di entità consistente. Lo stesso saldo del conto corrente, del resto, era di qualche migliaio di euro. Nulla che potesse far pensare ad una fiorente attività criminosa, anche se c'erano pur sempre tutti i presupposti tipici dell'esordiente.

Come prima cosa, quindi, Corinna era andata alla libreria, pensando di trovare chissà che cosa; o, forse, sperando che il Chiezzi avesse comprato recentemente libri tipo *Come disattivare un sistema d'allarme e vivere felici* e simili manuali di bricolage del perfetto malfattore. Purtroppo, il Chiezzi comprava volumi di tutti i generi (romanzi, saggi, fumetti, persino l'inarrivabile *Storia del mondo in 100 oggetti* su cui Corinna sbavava da un paio di mesi) ma nessun manuale di self-help per rapinatori in erba. L'unico collegamento con il caso, in libreria, era stato l'incontro fortuito con Giacomo Mancini, che stava pagando alla cassa un libro sulla matematica dei frattali, e che Corinna era riuscita ad ignorare in modo neutro, rimpiangendo fuggevolmente il fatto di averlo conosciuto.

Non bisognerebbe mai tentare di conoscere le persone che mitizziamo, siano essi scrittori, calciatori o cantanti; come diceva sempre il padre di Corinna, «gli eroi sono il contrario degli oggetti: quando ti avvicini, diventano più piccoli». E il buon Florian Stelea, essendo nato in un regime comunista, di eroi finti se ne intendeva parecchio.

Se gli eroi non vanno conosciuti, gli indagati invece bisogna tentare di conoscerli il meglio possibile. Per questo motivo, per continuare, Corinna aveva deciso di andare a fare qualche domanda discreta nel quartiere dove viveva Leonardo. Per capire, ad esempio, se davvero l'automobile era stata danneggiata nel periodo successivo alla rapina della LeaderSoft, ovvero dalle quattro di mattina alle quattro di pomeriggio (cosa davvero improbabile, oltre che incomprensibile, secondo lei), oppure se il danneggiamento era stato inferto ad arte dopo la telefonata a cui la stessa aveva assistito.

A Corinna, infatti, era venuto il sospetto che i due fossero d'accordo, e che al momento della telefonata (non sapendo dell'esistenza del filmato), intuendo che la polizia aveva scoperto in qualche modo l'uso della macchina, la moglie del Chiezzi avesse grossolanamente simulato l'esistenza dello scasso, per poi sbarbare a metà una portiera dell'automobile a bella posta subito dopo, per tentare di stornare i sospetti. Plausibile, no?

Purtroppo, come le aveva appena detto il barista, «plausibile» non significa per forza di cose «esatto».

– Vedo, vedo. Un piede di porco, o qualcosa del genere – disse Corinna, tanto per non troncare di netto la conversazione.

174

– Cor un capello no di siùro – concordò l'esercente. – Guardi lì com'è slabbrata. Pare una ragliata di ciùo. Lei è un polizziotto?

Corinna si fermò con il bicchierino a un centimetro dalle labbra. Non le sembrava di essere stata tanto spudorata.

– Sì. Mi scusi, come...

Il barista indicò il bicchierino in mano a Corinna.

– Il caffè al vetro. Di solito le donne non lo prendano, il caffè al vetro. Di solito lo chiedano l'omini.

– E perché?

– Perché il vetro si chiede per vede' se il bicchiere è pulito. È una cosa che d'abitudine si chiede ne' posti un po' sudici, dove le donne ammodino non dovrebbero entra' – spiegò l'esercente in modo confidenziale, trasformandosi così in confesercente. – Vor di' che lei, che mi sembra una persona ammodino, però di solito va a giro con l'omini in de' postacci. E che lavoro fa una donna ammodino che va a giro con l'omini in de' posti malfamati, secondo lei?

Mamma mia, quante cose si imparano ad ascoltare la gente.

– Mi scusi, a proposito – continuò il barista – ma perché n'interessa proprio quella macchina ellì?

Aspettaspetta. Te sarai anche sveglio, ma qui il poliziotto sarei io.

– Conosce il proprietario?

– Dio bòno – confermò l'oste, che evidentemente non era in grado di dire semplicemente «sì». – Io conosco per nome tutti i miei clienti. Vien qui colla moglie, tutte le domeniche, a fare colazione. Leonardo, si chiama, e lei Letizia. I cognomi non li so, ma son du' gran brave persone.

Pedinare una persona, da soli, non è facile.

I pedinatori professionisti, usualmente, non agiscono mai da soli. Di solito, quando si vuole seguire una persona per essere sicuri di non perderla e di non farsi scoprire, si deve essere almeno in quattro. Le quattro persone in questione formano un quadrato che si muove mantenendo il pedinato all'interno dello stesso; i quattro vertici del quadrato, cioè i pedinatori, in questo modo possono tenersi a distanza dall'obiettivo e guardarlo in modo molto meno ossessivo, dato che per mantenerlo nella giusta posizione basta tenere d'occhio con maggior frequenza i rispettivi tre compari.

Disgraziatamente, è piuttosto difficile formare un quadrato essendo da soli: per questo, il giorno prima, quando aveva deciso di seguire Leonardo per capire chi era, dove viveva, cosa faceva e altro, aveva fatto una fatica bestia, e non era stata scoperta solo per miracolo. Inoltre, avendo deciso di pedinare Leonardo d'impulso, Paola si era inserita sulla scia del proprio obiettivo nelle stesse condizioni in cui era uscita la mattina, ovvero tailleur con gonna stretta e tacco dieci.

In conseguenza di tutto ciò, in quel momento, davanti al portone dove Leonardo era entrato il pomeriggio precedente, Paola soffriva atrocemente, in quanto:

a) temeva che il marito avesse un amante;

b) temeva che nelle ultime due parole del punto «a» l'assenza dell'apostrofo non fosse un errore;

c) aveva passato tre ore il giorno precedente a inseguire un tipo a passetti di sedici centimetri, incastrandosi di continuo coi tacchi dentro i sampietrini, e al momento aveva le caviglie macellate e due vesciche ai talloni grosse come meringhe.

Per cui, quando Leonardo uscì dal portone, Paola si sentì rinfrancata nel vederlo percorrere una cinquantina di metri ed entrare dentro una pasticceria. A vedere la silhouette da lontano, non sembrava il tipo che entrava in pasticceria solo per prendere un caffè.

Bene, bene. Una pasticceria è un locale pubblico. Chi mi impedisce di andare a prendere qualcosa?

– Buongiorno signor Leonardo – disse affabile il signor Consani da dietro il bancone. – Ha visto, signorina? Tutte le domeniche. Cosa prende, signor Leonardo?

Una camomilla, avrebbe voluto rispondere Leonardo non appena resosi conto che la «signorina» in questione era Corinna.

– Buongiorno – disse Corinna, rivolgendo nel contempo al barista un'occhiata simile a quella che gli avrebbe rivolto un muezzin se si fosse visto offrire un cognac. Il barista alzò le sopracciglia. Se mi piaceva farmi i cavoli miei, disse quello sguardo, andavo a fare il casellante.

– Buongiorno a lei – riuscì a dire Leonardo.

– Visto la macchina – disse Corinna, indicando il mezzo con la portiera accartocciata a metà. – Un bel danno. Ha intenzione di sporgere denuncia?

– Mah, quasi quasi. Visto che la polizia le raccoglie anche a domicilio...

– Signor Chiezzi, sono venuta ad accertarmi semplicemente delle condizioni dell'auto.

– E io invece sono venuto a fare colazione con mia moglie. Sa com'è, prima che mi arrestino vorrei godermi un po' la vita.

– Perché dovremmo arrestarla?

– Mah, questo dovreste spiegarlo voi a me. Io so solo che vi vedo piuttosto decisi.

Corinna, anche se ferreamente convinta della bontà delle proprie ipotesi, si disse che forse era il momento di ammorbidire un attimo l'approccio.

– Signor Chiezzi, noi stiamo semplicemente indagando. Prima troviamo i responsabili di questi furti, e meglio è per lei, e per sua moglie. A proposito, sarebbe possibile fare due chiacchiere con sua moglie?

– Certo. Mi ha detto che finiva un attimo di truccarsi e scendeva. Un paio d'ore al massimo e dovrebbe essere qui.

– Esagerato. Forse invece è già arrivata.

Al di là del vetro satinato della porta, infatti, si intravedeva una figura femminile in procinto di entrare. Dopo un attimo la porta si aprì ed entrò una bella donna non più giovanissima che camminava con difficoltà, come se avesse dei problemi ai piedi.

Quella non è mia moglie, ebbe la tentazione di dire Leonardo. Quella è la tardona in tacchi a spillo che mi segue da ieri pomeriggio per motivi poco chiari. O, meglio, chiarissimi. Si vede che le piacciono i giovani in carne, alla vecchia porcona.

Ma, per fortuna, non lo disse.

– Buongiorno, signora Mancini.

– Eh? Ah, buongiorno, agente Stelea –. La signora Mancini fece una di quelle risatine imbarazzate che ti fanno sembrare ebete anche se non lo sei. – Non la riconoscevo, senza divisa.

– Mancini? – chiese Leonardo, senza parere.

– Ma sì – disse Corinna, con una puntina di malizia forse un tantinello eccessiva. – Giacomo Mancini, lo scrittore. Lo conosce, no?

– Ho letto qualcosa –. Leonardo porse la mano a Corinna, e quindi a Paola. – Bene, è stato un piacere. Arrivederci.

– Ma non doveva fare colazione?

– Mi è passato l'appetito.

E, a passo deciso, uscì.

– Pronto?

– Pronto una sega.

– Pronto?

– Io ero pronto, sì. Ero pronto ad aiutarla. Le avevo solo chiesto di rimanere anonimo.

– Ma...

– Volevo rimanere anonimo, caro il mio scrittore che se gli mentono si incazza, perché non volevo responsabilità. Visto che da qualche tempo come mi muovo mi fulminano, sia che c'entri sia che non c'entri un tubo, e visto che ormai fra le accuse mi ci manca solo quella di insolvenza editoriale, non volevo essere coinvolto nell'eventuale, anzi, scusami, nel quasi certo insuccesso del tuo libro del cazzo.

– Scusa, ma...

– E te, invece di fidarti, mi vai a far pedinare da tua moglie. Vero?

– Ma cosa stai dicendo?

– Vai vai, bello, che lo sai benissimo cosa sto dicendo. Falle prendere lezioni a tua moglie, la prossima volta che le fai pedinare qualcuno, perché è discreta come un romanista nella curva della Lazio.

E, con piglio da amministratore delegato, Leonardo buttò giù con forza. Tanto è un telefono pubblico, se si rompe chissene.

Bene, sfogare mi sono sfogato. Adesso...

E, voltandosi, Leonardo vide Letizia che lo guardava, con due occhi a metà tra lo sgomento e lo sgomento forte. Evidentemente, era appena uscita di casa.

– Leo, scusa – disse Letizia, dopo un attimo – ma con chi stavi parlando?

Leonardo si guardò intorno, sperando in un qualsiasi avvenimento esterno – sparatoria, incidente, collasso improvviso di un passante o di un palazzo, varo spontaneo di una petroliera, insomma qualsiasi cosa che creasse un diversivo e gli permettesse di non rispondere subito a quella domanda.

– E perché usi un telefono pubblico? – insisté Letizia.

Il problema di vivere in provincia è che non c'è mai una bella disgrazia quando ne avresti bisogno.

Leonardo Chiezzi. Bene, bene.

Appena uscita dal bar, dopo la chiacchierata con Paola, Corinna ripassava mentalmente tutti i ruoli di quel nome all'interno della storia.

Uno, proprietario dell'auto usata nel furto Mancini.

Due, proprietario dell'auto usata nel furto Leader-Soft.

Tre, amante del succitato Giacomo Mancini, all'insaputa delle mogli di entrambi.

A questo punto, il quadro era chiaro.

Il Chiezzi Leonardo, che conosce bene l'abitazione di Mancini in quanto ci si è recato una o più volte per giocare al Tetris di ciccia con il padrone di casa, si mette d'accordo con uno o più complici per svaligiare la casa del Mancini stesso, in un momento di assenza che al Chiezzi Leonardo è noto. Probabilmente, presta lui stesso l'auto per il furto in quanto è convinto che non sarà possibile risalire a lui. Ma l'auto rimane semplicemente senza benzina, e il tutto si incasina.

Ad ogni modo, quale che sia il motivo (pentimento? convenienza? vero amore?) il Chiezzi si rimette in contatto in qualche modo con Mancini; da qui, in qualche maniera, Mancini riesce a riottenere il computer e a riallacciare la sua tenera ed ellenistica amicizia con il Chiezzi Leonardo.

Non è ancora tutto chiaro, ma comincia a funzionare.

Devo solo capire fino in fondo chi sei, Chiezzi Leonardo.

– Sei un coglione.
– Ascolta, Leti...
– Io ascolto? Te, ogni tanto, ascolta, Cristo Santo!
Leonardo, che non sapeva dove guardare, scelse di studiare il suolo, per il momento.
– Ma scema io che t'ho anche dato retta – imperversò Letizia. – «L'hai riportato il computer ai carabinieri, tesoro?». «Certo che l'ho riportato, amore mio». E ora mi tocca scoprire che hai messo le mani nel computer, hai scoperto di chi era, e lo hai anche ricattato!
– No, Leti, non è esattamente così. Te l'ho spiegato. Io...
– Te sei un coglione.
– Sì, ti sei già espressa con chiarezza su questo punto, mi pare. Se adesso mi vuoi stare ad ascoltare un attimo...
– Avanti, allora. Sentiamo. Spiegami. Sono curiosa.
Leonardo si guardò intorno.
– Dunque...
Letizia ebbe un moto di insofferenza.
– Senti, ti dispiacerebbe se ce ne andiamo a parlare in macchina? Abbi pazienza, ma mi sembra che abbiamo già dato abbastanza spettacolo.

Seduto al posto di guida, Leonardo stava tirando le somme.

Dunque, vediamo. Al momento sono senza lavoro, sto per essere arrestato per furto aggravato, e ho appena litigato a sangue con Letizia. Manca qualcosa? Ah, sì, la multa da tredicimila euro, grazie alla quale non posso usare l'auto, anche se pare che qualcun altro lo faccia tranquillamente. Chissà. Magari, anche se non posso muoverla, forse l'auto posso comunque accenderla. Così potrei collegare un bel tubo di gomma allo scappamento e suicidarmi a norma di legge, senza prendere multe ulteriori. O meglio, avrei potuto, se non mi avessero divelto la portiera. Adesso l'auto non è nemmeno più a tenuta stagna.

Discorsi stupidi a parte, è un casino. Non vedo come potrei uscirne.

Be', è anche vero che per come sei messo le cose possono solo migliorare. Perché, diciamo la verità, non vedo proprio come potrebbero andare peggio.

In quel momento, qualcuno bussò al finestrino. Leonardo, riconnettendosi al mondo reale, guardò fuori, e vide un tipo pelato e mingherlino con una giacca assurda che lo guardava con curiosità. Oddio, con curiosità e con un occhio solo, visto che l'occhio sinistro in realtà era puntato verso il cofano. Leonardo, che tutto sommato con gli estranei cominciava sempre con la buona educazione, buttò giù il finestrino.

– Sì?

– Buongiorno, buongiorno – disse il tipo, muovendo i bulbi in modo inquietante. – Scusi il disturbo, eh, ma è una cosa da un minutino. È mica lei il proprietario di questa macchina?

Domenica mattina, ma un pochino più tardi

– E questo è quanto – disse Leonardo, indicando a Letizia il piccolo computer portatile color rosso fuoco.

– Mamma mia... – disse Letizia, senza staccare gli occhi dall'oggetto. – Sembra proprio il tuo. Sei sicuro, vero, che non è il tuo?

Leonardo scosse i riccioli.

– No, credo sia proprio quello di Tenasso.

– Magari, se lo accendi, ne puoi essere...

– Sì, così appena lo accendo questo affare si connette col GPS e mi arriva la polizia in casa in meno di un minuto. Te non hai idea di cosa ci potrebbe aver messo Tenasso, in questo computer. Se mi trovano in casa un computer rubato mi ritrovo indagato per ricettazione in modo automatico. Poco male, eh, intendiamoci. Così almeno la mia seconda carriera può partire con tutti i crismi. Ho il riconoscimento ufficioso, avrei anche quello ufficiale.

Letizia si alzò dalla poltrona e si andò a sedere sul bracciolo di quella dov'era Leonardo. Avrebbe potuto anche trovare spazio sul sedile, visto che Leo era seduto sugli ultimi tre centimetri utili, con le mani giunte, rigido come un cardinale a una fiera del porno.

– Leo, ma sei sicuro che t'abbiano davvero scambiato per un ricettatore?

– Leti, ora te lo ridico: uno del genere, che va in giro con un orco senza un pezzo di orecchio, secondo te nella vita che cosa fa?

– Io sono un commerciante, esattamente come te – aveva detto il Gobbo, bene installato sul sedile del passeggero. – E bado al sodo, come mi sembra che tu faccia te. Non mi importa chi, mi importa cosa. E le cose che porto io son sempre cose buone.

– Cioè, in che senso?

– Ti ho lasciato un campione lì, sotto il sedile –. Il Gobbo aveva ammiccato in direzione della portiera divelta. – Abbi pazienza se l'ho un po' nascosto, sai, ma a giro c'è veramente della gentaccia.

Leonardo, insinuando una mano sotto il sedile, aveva messo le dita su qualcosa di metallico. Già prima di vederlo, sapeva che stava toccando un computer. Di quale colore, non lo sapeva, ma sicuramente un computer. Dopo averlo estratto (rosso fuoco), lo aveva guardato un attimo con aria ebete, prima di voltarsi di nuovo verso il Gobbo.

– Guardi – aveva detto Leonardo con il portatile in mano, rendendosi conto che il suo viso stava assumendo una colorazione en pendant con l'oggetto stesso – io credo che ci sia un equivoco, qui.

– No, tranquillo, nessun equivoco. Con Costantino ci siamo parlati, e siamo tutti d'accordo. Adesso ci si pensa noi, che fra parentesi secondo me ti va parecchio meglio.

– Costantino? E chi sarebbe?

– Bravo, così mi garbi. Anche io mi son già scordato d'averlo conosciuto. Vedi che siamo già in sintonia?

– No, davvero, dicevo...

– Senti, ora smettiamola coi discorsi. Secondo te quanto vale una ventina di computer come questi?

Anche se la situazione era paradossale, almeno a questa domanda Leonardo sapeva rispondere.

– I Toshiba? Be', nuovi valgono sui duemila euro l'uno, più o meno. Però, insisto...

– Mamma mia, che gioiellini. Allora facciamo così: visto che sono usati, anche se mi sembrano parecchio tenuti bene, facciamo il cinquanta per cento, occhèi? Quindi son ventimila euri pari pari. Ce la fai per lunedì?

– Ma non ce li ho mica ventimila euro in contanti, io...

– Fatteli prestare – aveva detto il Gobbo.

– E se non ci riesco? – si era sentito rispondere in automatico Leonardo, consapevole dell'assurdità che stava dicendo.

– Mah, se non ci riesci pace. Ci metterò una pietra sopra. Parlo per me, s'intende. Di quello che fa lui – e il Gobbo aveva fatto un cenno con la testa, in direzione di Gutta, che aspettava fuori dalla macchina a braccia incrociate e orecchio mozzato – non posso prendermi certo la responsabilità. È adulto e vaccinato, almeno credo. Allora, lo sai dov'è la cappella di Santa Agata?

– Sì. È quella dietro San Paolo.

– Vedi? Sempre meglio avere a che fare con gente che ha una certa istruzione. L'ho sempre detto, io. Capiscon tutto alla prima. Via, allora ci si vede lunedì. Due di notte, cappella di Santa Agata. Io porto roba rossa, te porti i verdoni, e siamo contenti tutt'e due.

Tutti e due in salotto, Giacomo e Paola aspettavano che fosse l'altro a dire la prima cosa. Dopo un'ora in cui erano riusciti ad evitarsi nei modi più acrobatici, adesso si erano ritrovati entrambi nella stessa stanza, e lì fare finta di nulla era un casino.

– Paola...

– Dimmi – disse Paola, mettendo giù l'eterno «AD».

– Dovrei parlarti di una cosa.

– Di una cosa o di una persona?

– Di una persona, e di una cosa.

– Capisco. Be' – disse Paola, tentando di mantenere un contegno – sapevo che ti piacevano i classici, ma non credevo che tu ti immedesimassi a tal punto nella cultura greca.

– In che senso? – chiese Giacomo.

– Giacomo, non farmelo dire.

– Io non te lo faccio dire – disse Giacomo, con sincero disorientamento – ma se non me lo spieghi non capisco.

– Giacomo – disse Paola, guardando il tavolino – lo so benissimo che questo tizio...

– Che questo tizio?

– Che questo tizio e te ieri passeggiavate, abbracciati, sul viale delle Piagge, va bene? E mi siete passati anche vicino! E ho sentito cose come «la nostra relazione», «tenere compagnia», e cose del genere! Avevo un rompicoglioni al telefono, ma qualcosa ho sentito lo

187

stesso, Cristo! Ma è possibile che dopo tutti questi anni tu creda ancora di potermi trattare da stupida?

Giacomo guardò Paola, per un attimo, impietrito. Poi emise un piccolo sbuffo soffocato. E Paola chiuse gli occhi.

Qualsiasi cosa, ma non voleva vederlo.

E invece le toccò sentirlo.

Le toccò sentire suo marito che incominciava a ridere come un imbecille.

– E questo è quanto.

Paola, man mano che il marito parlava, aveva piano piano chinato la testa, come se stesse tentando di concentrarsi su qualcosa. A quella frase, la rialzò.

– E non ti ha detto come si chiama? Non ha voluto dirti come si chiama?

Anche Giacomo, mano a mano che parlava, aveva cambiato atteggiamento. Per la precisione, aveva perso un po' della baldanza iniziale.

– Sì, lo so – ammise, con un piccolo sbuffo. – Può sembrare assurdo. Anzi, è assurdo. Tu dici che mi sto affidando ad una persona della quale non so nulla. Anzi, nemmeno so chi è...

– Lo so io.

– Eh?

– Lo so io, chi è questo tizio. Dammi il tuo telefono, per favore.

Giacomo equivocò.

– No, Paola. A parte il fatto che ha sempre chiamato a casa, non ho nessun...

– Non mi serve il tuo telefono per cercare «Amante misterioso» in rubrica – ridacchiò Paola. – Mi serve perché devo andare su Internet, al momento non abbiamo computer in casa e il mio cellulare è un modello babilonese. L'unica possibilità che ho di farti vedere cosa intendo è il tuo meraviglioso telefonino tuttofare.

– «... *quindi, un ennesimo magnifico esemplare di giallo scandinavo da seicento pagine che, data la mole, sconsiglio di mettere da parte con leggerezza: questo è un libro da scagliare via con tutta la forza che avete. A meno che non abbiate voglia di staccarne le pagine una ad una, perché potrebbero risultare comodissime per pulire il culo ai maiali*». Però, come ci va leggero.

Giacomo fece scorrere il dito, ma la recensione terminava lì.

– Vero? – sorrise Paola. – Capisci quel che voglio dire?

– Sì – rispose Giacomo, con aria assorta, gli occhi dentro il telefonino. – In effetti, è un'espressione piuttosto inusuale.

– Per questo, quando prima l'hai usata, mi è venuto in mente questo blog – disse Paola, indicando il piccolo schermo a palmo all'insù. – Per questo, e per un altro motivo.

– Addirittura. E quale sarebbe?

– Prova a digitare «Sabbie amare».

Giacomo cominciò a muovere le dita sullo schermo.

– ... are. Ecco. Devo prepararmi al peggio?

Paola fece una faccia ambigua, mentre il panphone rufolava nello spazio virtuale alla ricerca di quanto richiesto. Quindi, lo schermo da bianco si riempì di parole. Paola, con l'indice, fece scorrere il testo fino a un punto preciso.

– Ecco. Leggi qui. La frase che inizia con «Allora».

– «*Allora, per l'ennesima volta, mi vedo costretto a chiedermi per quale motivo uno che fa lo scrittore di professione da trent'anni si permetta di ignorare il funzionamento del punto e virgola. Chi legge questo blog lo sa, ma la cosa è talmente importante che va ribadita: i segni di punteggiatura non servono solo a dare un ritmo alla frase, i segni di punteggiatura sono veri e propri o-pe-ra-to-ri lo-gi-ci. Usarli in modo sciatto può letteralmente travisare il significato di quello che pensiamo. Se io dico di una persona "È juventino. È una persona di cui non fidarsi" sto dando due informazioni separate, messe in relazione solo dal fatto che mi riferisco alla stessa persona. Se dico "È juventino; è una persona di cui non fidarsi" è chiaro che le due cose sono in relazione, ma non è chiaro in che relazione stiano – magari sto semplicemente elencando tutte le caratteristiche negative del tizio in questione; in ogni caso, faccio capire che secondo me essere juventini è deplorevole. Se io invece dico "È juventino: è una persona di cui non fidarsi" il mio giudizio è chiaro: quella persona è infida in quanto juventina, e stop*».

Giacomo rimase un attimo pensoso, poi incominciò a scorrere lo schermo col dito verso l'alto.

– È un maniaco della punteggiatura – disse Paola. – Ed è in linea con quello che mi dicevi prima, su quello che il tipo pensa del tuo modo di usare il punto e virgola.

– Anche su altre cose, direi. «*Per chi ha letto ed apprezzato i precedenti libri di Mancini, scritti quando ancora si svegliava prima di mettersi al lavoro, questo romanzo costituisce un magnifico esempio di carta sprecata*». Insomma, secondo te questo sarebbe uno dei blog di letteratura migliori in circolazione?

– Di gran lunga. Tieni conto che ne conosco una quarantina, almeno.

– Così tanti?

Paola esitò un attimo, prima di parlare. Poi confessò.

– Be', tutti quelli che parlano dei tuoi libri.

Giacomo voltò lo sguardo verso Paola. La quale, sorridendo, completò la frase.

– O che ne hanno parlato, almeno una volta.

– Prima che tu lo finisca?

– Prima che io lo finisca – confermò Giacomo, porgendo a Paola delle pagine. – Mentre lo scrivo. Così, mentre io vado, tu mi dici in corsa se c'è qualcosa che non va.

Paola mosse la mano, prendendole, e sentendosi vagamente imbarazzata. Strano, visto che si parlava dell'uomo con cui era sposata da trent'anni.

– Non me l'hai mai chiesto.

– Fino ad ora, no.

Paola, sempre con le mani sulle carte, guardò il marito. E vide due pupille nere, con una corona circolare azzurra intorno.

Chi è capace di usare il linguaggio del corpo è in grado di mentire anche con l'atteggiamento. Con le nostre mani, con la nostra postura, con il nostro sguardo possiamo simulare certezze che non abbiamo, o dissimulare colpe che ci riguardano in pieno.

L'unica cosa che non possiamo controllare sono le nostre pupille. Possiamo essere i più grandi truffatori della storia, ma se abbiamo paura, se mentiamo, se non ci fidiamo, le nostre pupille si contraggono. Se invece siamo tranquilli, se ci fidiamo, se quello che vediamo di fronte ai nostri occhi ci piace, le nostre pupille si dilatano. Non c'è modo di ottenere questo risultato volontariamente, secondo l'autorevole parere dei neurologi, a meno di non mettersi a eseguire mentalmente operazioni aritmetiche complesse come moltiplicazioni di numeri a tre cifre. In tal caso, riusciremo a far dilatare le nostre pupille in modo volontario, ma sarebbe molto difficile riuscire a fare contemporaneamente dei discorsi coerenti; la nostra affidabilità e il nostro fascino, probabilmente, diminuirebbero in modo drastico se qualcuno ci chiedesse «ma tu mi credi?» e noi, con voce calda e morbida, rispondessimo «diecimilaseicentoventisei».

Ma, nel caso specifico, Giacomo non stava facendo calcoli. Di nessun tipo.

– E cosa stai per cambiare, allora?

– Parecchie cose – disse Giacomo, alzandosi dalla poltrona. – Alcune me le ha dette lui con precisione. Altre, invece, me le ha fatte semplicemente venire in mente. Per esempio, nei capitoli della conferenza, per come ho pensato di cambiare la storia è molto più plausibile che il protagonista si sia preso una bella sbronza, piuttosto che essersi astenuto dal bere.

– Ti è venuto in mente per la telefonata, eh?

– Aha. Mi è sembrato efficace.

– Bene – disse Paola sorridendo, alzandosi dal divano con i fogli nella mano destra. – Allora, io vado a farmi un bagno. Credo che dopo andrò a letto a leggere qualcosa. Però, lo sai, io leggo velocemente.

– E allora vorrà dire che mi tocca andare a scrivere.

Domenica notte

– «... adesso lo statunitense si prepara al putt. Non facile, da quella posizione. Abbiamo visto più volte finora...».

Seduto in poltrona, in mansarda, Giacomo guardava una partita di golf sul suo megaschermo.

Di solito, la sera, Giacomo amava guardare il golf a letto, mentre Paola leggeva; pratica resa difficoltosa dal fatto che a) quella sera Paola si era addormentata beatamente alle undici invece che all'una e mezzo, come al solito e b) al posto del televisore in camera da letto al momento c'era una staffa di metallo, dato che Giacomo non lo aveva ancora ricomprato. Per cui, tra gli ottantaquattro pollici da rimirare nel caso in cui avesse salito le scale e i due da rigirare se invece avesse deciso di rimanere a letto, Giacomo aveva deciso che ottantaquattro era meglio di due e si era installato in mansarda.

Anche perché, quella sera, di dormire non c'era verso.

Giacomo aveva passato tutta la giornata a spulciare nel blog di Leonardo, notando ed approvando la passione dell'anonimo recensore per Primo Levi, Asimov,

Stefano Benni e Trollope; si era anche segnato il titolo di un paio di saggi che sembravano interessanti, come questo *Il cigno nero* di tale Nassim Taleb che sembrava aver entusiasmato lo scrivente. Scrivente che, con tutta evidenza, sapeva il fatto suo. A parte il fatto che compariva una nuova recensione ogni tre-quattro giorni, spia del fatto che evidentemente il tipo si asciugava un paio di libri alla settimana, gli articoli rivelavano una cultura da uomo rinascimentale, con una evidente passione per la matematica e l'informatica. Il tutto scritto con una padronanza della lingua notevole; a volte un po' ostentata, certo, ma sicuramente solida. Del resto, non è certo l'equilibrio la prima dote che si richiede a un blogger.

Possibile che fossero la stessa persona?

E così, mentre i fotoni del teraschermo componevano la figura di Adam Scott che ripescava la pallina dalla buca, i neuroni di Giacomo cominciarono a ripescare dalla memoria brani della conversazione del sabato mattina.

Sullo sfondo, sempre il golf.

– Perché mi piace il golf?

– Esattamente, sì –. Leonardo fece su e giù con la testa, scrollando i riccioli. – Non le ho chiesto cosa vede, nel golf. Vorrei sapere il motivo per cui le piace.

– Questa domanda qui, vuoi farmi?

– Me lo ha chiesto lei, di chiederle cosa mi pareva – rispose Leonardo voltando una mano a palmo in su. – Non mi torna, che le piaccia il golf.

– E perché non ti torna?

– Perché io, personalmente, lo trovo un gioco idiota – disse Leonardo, sorridendo. – Non mi capacito di come una persona come lei, che è intelligente, istruita e avrebbe tante cose belle da fare, oltre alla possibilità di farle, passi volontariamente tutti i pomeriggi a prendere a bastonate una pallina butterata.

– Bella domanda. Guarda, anch'io quando ho cominciato credevo che fosse un gioco stupido. Stupido, e tutto sommato anche facile –. Giacomo scosse la testa, con un sorriso da vecchio esperto. – Facile un tubo. Non hai idea di quanti errori tu possa fare, nel tentativo di cogliere una pallina con una mazza. E di quante cose devi fare bene, per mandarla il più lontano possibile. Sono vent'anni che gioco, e quasi ogni giorno scopro una cosa nuova.

– È per questo che le piace, quindi? – incalzò Leonardo. – Perché ogni giorno migliora?

– Magari. No, vedi, il fatto è che il golf è obiettivo. La prestazione viene giudicata da un numero. Quanti colpi ho fatto per imbucare alla nove? Non è che ad ogni colpo hai un sedicente golfista al fianco che ti dice «sì, è andata in buca, ma secondo me è solo perché usi una mazza della Callaway», o un critico del golf che ti ammonisce ricordandoti che Jack Nicklaus quel colpo lo giocava meglio, oppure che annuncia ad alta voce «sembrerebbe che l'intenzione fosse di andare in buca, ma io che ho letto bene il tuo colpo so che in realtà volevi passare sopra quel formicaio», o un telecronista che si sente autorizzato a commentare che colpisco la pallina così forte perché in realtà ci vedo mia madre.

Nel mio lavoro, col cavolo. Cazzo, chiunque si sente in diritto di parlare dei miei libri.

– Magari è perché tanta gente legge i suoi libri – si difese Leonardo. – Io, se fossi in lei, ne sarei contento.

– Certo, ci mancherebbe. Ma quello che volevo dire è che...

– Che? – chiese Leonardo, dopo qualche attimo di rispettoso silenzio.

– Hai idea della quantità di volte che ho sentito parlare dei miei libri a sproposito? Magari anche bene, eh, ma a sproposito. Una volta un tizio, a una presentazione, mi paragonò a Steinbeck. E io lì, con due occhi che sembravano uova di faraona, a guardarlo come se fosse scemo. Oppure, di quante volte ho letto critiche di gente che sembrava aver letto un altro libro?

– Parecchie, credo.

– Di più. Ecco, nel golf semplicemente non puoi. Ci sono regole da rispettare, e numeri da contare. Il resto è fuffa. Puoi tentare di convincermi quanto vuoi che Tizio è un giocatore migliore di me, ma se la realtà dei fatti è che Tizio manca la pallina una volta su due, c'è poco da fare. Se vuoi criticare giocatori come Woods, o Manassero, devi attaccarti a dei dettagli. E lo fai riconoscendo che sono dei campioni. E, che tu sia un giocatore, un telecronista o un allenatore, non puoi metterti lì a dire che ti sembra che giochino male e che non capisci come fanno a vincere tutte quelle gare, perché il dirlo equivarrebbe ad ammettere che non ci capisci un tubo.

– «... un lungo tubo, che si può appoggiare allo stomaco o addirittura al petto, come quella adottata dal giocatore australiano. In questo modo, la mazza è molto più stabile, ed il colpo risulta molto più preciso. Ricordiamo che comunque, secondo una decisione della Royal&Ancient Golf Club, dal 2016 i cosiddetti Broomhandle verranno vietati nelle gare agonistiche. Una regola su cui molti giocatori, tra cui ricordiamo lo stesso Adam Scott, non sono affatto d'accordo».

Cazzi tuoi, ciccio. Non le puoi fare mica tu, le regole. Le regole sono regole, e vanno rispettate. Come i contratti.

Il mio, per esempio, dice che devo consegnare il romanzo fra tre giorni. Ieri, che non ce l'avevo più, la prospettiva mi atterriva.

Oggi, che ce l'ho di nuovo qui sul portatile, mi deprime.

Sempre la stessa storia.

E che gli dicevo, se mi chiedeva perché racconto sempre la stessa storia?

Perché vivo sempre la stessa vita. E la cosa mi piace.

Ho una bella casa, una moglie che amo, due figli che hanno evitato tutte le trappole dell'adolescenza e adesso sono all'estero a costruirsi il futuro. Se vuoi sentire un lamento, in questa casa, devi rivolgerti a Seelan.

Uno scrittore non è altro che un imitatore della vita altrui. Uno che si sente imprigionato da un aspetto della propria vita, e che lo vorrebbe cambiare, ma non può. Non ha il coraggio di farlo, ma a malapena quello di immaginarselo.

E io, cosa ho da modificare della mia vita? Da che cosa vorrei fuggire?

Sul teleschermo, Adam Scott stava festeggiando con un gruppo di fan, tra cui un paio di ragazze il cui rapporto con il golf Giacomo supponeva si limitasse a rimettere a posto la mazza del campione quando ce n'era bisogno.

Non c'è niente da fare. Uno scrittore scrive perché la realtà, così com'è, non riesce proprio a sopportarla, e per conviverci ha bisogno di modificarla. In modo radicale, o magari solo un pochino. Quel tanto che basta per renderla sopportabile. L'ha detto Orhan Pamuk, ma lo sottoscrivo. Chissà se uno come Orhan Pamuk ha per editor una rompicoglioni come la Terrazzani.

Ecco, sì, c'è una cosa di cui mi vorrei liberare, ad essere sinceri. Mi vorrei liberare dall'obbligo di scrivere per quegli altri.

Non dal fatto di piacergli, intendiamoci.

Mi piace che alla gente piaccia quel che scrivo.

Ma prima di tutto deve piacere a me.

Dunque, dove l'ho lasciato quel computer?

Capitolo sesto

– Prima di inoltrarci nella parte, per così dire, tecnica, di questo discorso, sarà necessario iniziare con una domanda. Una domanda che, a prima vista, può sembrare assurda. Vi chiedo quindi, come mi sono chiesto tante volte in vita mia: è possibile, secondo voi, calcolare la bellezza?

Carlo fece un cenno, e guardò il pubblico.

– È possibile, in termini razionali, riuscire ad afferrare quali sono le regole, i meccanismi, le ricette seguendo le quali i grandi geni della musica hanno composto le loro opere? C'è un algoritmo segreto dietro al quale si nasconde il fatto che quando sento l'ouverture delle *Nozze di Figaro* mi sembra che il sole stia sorgendo per davvero, e quasi vedo la stanza più luminosa di quanto non sia? Posso mettere in entrata a questo algoritmo delle cifre ed ottenere un numero che misuri la bellezza di questa musica?

Carlo si fermò, e prese un altro sorso. Poi un altro, vuotando il bicchiere in modo lento, ma deciso. Posato il calice, continuò:

– La prima volta che mi sono fatto questa domanda è stato nel 1960, quando, insieme a mio fratello e ad altri personaggi che ora non ci sono più, andai ad ascoltare Herbert von Karajan. Programma della serata, in quel caso, i *Concerti Brandeburghesi*. Johann, Sebastian, Bach.

Carlo guardò l'uditorio. Rapiti. Come me, del resto.

– Il maestro entrò, ieratico come sempre, sotto gli applausi. Quindi, voltatosi verso l'orchestra, alzò la bacchetta, ottenendo il silenzio; un attimo di silenzio di durata incredibilmente lunga. In quell'attimo, feci in tempo a notare che il primo violino aveva in mano uno strumento che sembrava lievemente più piccolo degli altri. Poi la musica arrivò, e il mondo visivo, semplicemente, scomparve.

Carlo si fermò, e incominciò a riempirsi il bicchiere. Mentre il vino scorreva dalla bottiglia, Carlo chiese:

– Sapete come i latini chiamavano il mercurio?

Eccoci. Una delle specialità di Carlo: la parentesi. O, come la chiama lui, digressione esplicativa. A sentire lui, necessaria; se volete il mio parere, irritante.

– Lo chiamavano *hydrargyrum*, argento liquido – disse Carlo, muovendo il fluido nel bicchiere con un moto rotatorio, quasi ipnotico. – Ecco perché nella tavola periodica ha quella sigla strana, acca-gi. In realtà però, secondo Plinio, l'argento liquido era quello che si otteneva artificialmente, con un lungo procedimento, a partire dal lavaggio delle sabbie alluvionali; quello che si otteneva dal cinabro naturale, il buon vecchio Plinio lo chiamava argento *vivo* –. Carlo stese il braccio, ostendendo il bicchiere. – Ecco, la musica di Bach è esattamente questo. Argento vivo.

Carlo posò il bicchiere, senza aver bevuto.

– E io, che non l'avevo mai sentita, mi trovai immobile a seguire le evoluzioni incredibili di queste goccioline di metallo che scorrevano sferiche e perfette, indifferenti alla gravità del mondo fisico, che si rompevano e si riunivano di continuo per ritrovarsi alla fine in un'unica goccia. Una goccia senza difetti, con la perfetta lucentezza del colore di un metallo e la perfetta regolarità della superficie di un liquido. Perfezione cromatica e perfezione morfologica, unite ad una dinamica solo apparentemente caotica, ma che alla fine riconduceva con la propria logica miracolosa tutte queste piccole gocce ad un singolo ente, che tutte le comprendeva, e di tutte conservava la bellezza, ingrandendola ed esaltandola. E tutte queste evoluzioni io le seguivo rapito, nell'assoluta consapevolezza che alla fine si sarebbero riunite e nell'assoluta incapacità di comprendere come potesse succedere.

Carlo crollò la testa un attimo, come a commiserarsi per finta.

– Sapevo che non sarei mai riuscito a riprodurla. Da tempo, mi era chiaro che quella strada non faceva per me. Ma quella sera, uscendo dal concerto, decisi che sarei riuscito a comprenderla. A svelarla. Sarei stato il primo a capire, e a spiegare, la bellezza della musica di Johann Sebastian Bach. E a spiegare, con argomenti numerici inoppugnabili, per quale motivo la sua musica era la più bella di tutte.

Mi guardo intorno, mentre Carlo tace, lasciando che la sua ultima affermazione sedimenti bene nelle coscienze di chi lo ascolta. Chi non ha condiviso la camera con lui non può capire.

Questa storia di Bach è andata avanti per parecchi anni. Anni in cui Carlo, con la sicumera priva di dubbi tipica degli adolescenti, rintronava chiunque con la bellezza della musica di Bach. Sia in teoria, che in pratica.

In teoria, perché chiunque commettesse l'errore di addentrarsi in un discorso musicale veniva preso e messo all'angolo da mio fratello, che era in grado di usare qualsiasi pretesto pur di arrivare a parlare di analogie tra i canoni bachiani e la teoria dei gruppi; il tutto senza preoccuparsi minimamente del fatto che la povera vittima potesse essere in grado di capirlo. In pratica, perché per qualche anno Bach diventò la colonna sonora di casa nostra. Ogni momento della giornata era pervaso dal genio di Eisenach. Praticamente Bach era entrato a far parte del mobilio.

In tutto ciò, la famiglia teneva un atteggiamento ambiguo: perché se da una parte c'era l'amore per la musica e l'orgoglio nel vedere un ragazzo che si dedicava anima e corpo allo studio invece che al deboscio, da quell'altra c'era il fatto oggettivo che vivere immersi in una salamoia di clavicembalo può portare alla pazzia. Poi, un giorno, nel primo pomeriggio, mentre mio padre tentava di schiacciare un pisolino dopo una nottata passata a scaricare Vespe da un treno merci, Carlo decise di riascoltare per l'ennesima volta il *Resurrexit* dalla messa in Si minore, e dopo aver posizionato la puntina sul 33 giri alzò il volume in modo gagliardo.

Per qualche anno, tra i nostri vicini ci fu disaccordo su cosa successe immediatamente dopo: i Pacciardi, ad esempio, raccontano ancora oggi che mio padre tirò dalla finestra prima il giradischi e poi il vinile, mentre il Ghignola sostiene che il buon vecchio Gino scagliò fuori di casa prima l'incisione e solo dopo ci fece atterrare sopra l'impianto. Entrambi, comunque, concordano sul fatto che nell'occasione si sentirono molto sollevati nel vedere i due oggetti schiantarsi al suolo, e che la qualità della vita del condominio ebbe da quel giorno in poi un netto miglioramento.

Mentre rivedevo nella mia mente, per la millesima volta, una scena che con gli occhi non ho visto mai, Carlo continuò:

– Una idea balzana, adesso me ne rendo conto. Difficile fare una classifica della bellezza. La bellezza è soggettiva, e misurarla non si può. Poi, crescendo, ho scoperto che esisteva altra musica bella, oltre a quella di Bach, e le mie preferenze hanno cominciato ad ondeggiare – a volte preferivo Mozart, a volte Haendel, a volte Rossini. Ma, pur se il grado di bellezza che attribuivo a queste composizioni variava, c'era un aspetto che rimaneva fisso. Questi compositori, tutti i compositori, io li *riconoscevo*. Ogni musicista, ogni bravo musicista, era chiaramente riconoscibile. Con una propria impronta, un proprio carattere – la tronfia allegria di Haendel, la solarità e l'apparente ovvietà di Mozart, la scanzonata voglia di tenere sveglio il pubblico di Rossini emergono da ogni loro composizione. Molto spesso, se non sempre, un pezzo che ascoltiamo la prima volta ci rivela quasi subito il suo autore. Questo non si limita alla musica, certo: se leggiamo una poetica descrizione delle virtù di Beatrice, ci viene naturale pensare a Dante.

Carlo prese un ulteriore sorso, lo assaporò e passò oltre:

– Qual è, allora, la differenza fra la musica e la letteratura? La differenza è che la scrittura musicale è *enumerabile*. Qualsiasi partitura, per non parlare della sua esecuzione, può essere convertita in una serie di numeri: numeri che ne indichino la successione dei suoni, l'armonia, la tonalità. Abbiamo, nel nostro sistema temperato, un alfabeto di dodici semitoni; sette tasti bianchi e cinque tasti neri che si ripetono virtualmente all'infinito, sia in basso che in alto, e che si possono accostare su infinite linee parallele, come nella musica polifonica. E nella enumerabilità della scrittura musicale, nel suo alfabeto fatto di note e nella grammatica della tonalità, sta la possibilità di studiare la musica per via matematica.

Girai lo sguardo, notando con un pochino di apprensione che l'uditorio si stava progressivamente separando. È vero che la maggior parte delle persone stava seguendo mio fratello, e che alcuni apparivano rapiti, ma si cominciavano a vedere anche parecchie mani davanti alla bocca o dietro allo smartphone.

– Cercherò di non tediarvi con troppi dettagli tecnici, anche perché chi è presente qui a questa cena è un matematico, e quindi li conosce molto bene, oppure è la moglie, il marito o il figlio di un matematico, e quindi presumibilmente di questa roba non ne può più. Ma, come sapete, molta della mia vita da matematico è stata spesa nel tentativo di individuare un numero, nella ricerca di un algoritmo, di una ricetta che, processando tutti gli elementi di un pezzo musicale, fosse in grado di sputare fuori un numero, un singolo numero che individuasse con certezza l'autore di quella composizione. Un numero che potesse attribuire con certezza una data composizione ad un autore noto, senza possibilità di errore. E, per molto tempo, ho creduto di poterla individuare nella cosiddetta dimensione frattale.

Si avvertì in sala, presumibilmente da parte dei parenti dei matematici di cui sopra, qualche chiaro segnale di sgomento. Carlo, da oratore consumato, ci rimbalzò sopra con agilità.

– Tranquilli, non è niente che possa uccidervi. Potrebbe capirlo anche un calciatore. Sappiamo tutti che gli oggetti hanno una diversa dimensionalità, giusto? Facciamo un esempio con un oggetto di tutti i giorni. E, visto che siamo in Italia, userò un oggetto tipicamente italiano.

Qui Carlo, con un gesto teatrale, infilò la mano nel taschino, e dopo un attimo di suspense ne estrasse lentamente uno spaghetto crudo. Lo stesso spaghetto che mi aveva chiesto in prestito all'inizio della cena.

Carlo esibì lo spaghetto tenendolo tra l'indice e il pollice con un gesto da banditore, tra risatine sommesse.

– Sappiamo – continuò Carlo indicando l'oggetto con l'altra mano – che uno spaghetto crudo è un oggetto monodimensionale, perché si estende in una sola dimensione. Quindi, uno spaghetto ha dimensione uno. Un foglio di carta, che si estende su di un piano, invece è bidimensionale. Dimensione, due. Infine, sappiamo che una palla si estende in tutte le dimensioni dello spazio, e quindi è tridimensionale. Dimensione, tre.

Carlo sollevò le palme delle mani verso l'alto, a sottolineare la semplicità del concetto.

– Per evitare che le palle, da una, diventino due, e che le relative dimensioni crescano ulteriormente, andrò diritto al punto. Abbiamo detto che uno spaghetto crudo ha dimensione uno: ma, quando è cotto, e si dipana su di un tavolo, che dimensionalità ha? Può occupare un piano, per esempio, se lo lasciamo cadere sul tavolo: ma non occupa tutto il piano in modo omogeneo, ci sono punti in cui lo spaghetto c'è e punti in cui non c'è.

Lo spaghetto cotto. Un esempio classico per spiegare i frattali. Esattamente lo stesso esempio che, tanto tempo fa, aveva usato con me, per spiegarmi il concetto. Il fatto che ci trovassimo al Grand Hotel De Londres, che lo spaghetto fosse condito, e che il piano fosse una tovaglia di Fiandra, per Carlo non aveva nessuna importanza. Per quanto riguardava me, che in quell'albergo ci lavoravo da appena tre settimane, devo ammettere che la cosa rischiò di deconcentrarmi.

– Se prendessimo uno spaghetto, lo lasciassimo cuocere a un cuoco francese – chiedo scusa ai colleghi francesi, in matematica siete dei fenomeni ma sulla cottura della pasta usate un cronometro un po' permissivo –

e lo lasciassimo cadere su una scacchiera, vedremmo che il numero di caselle che ricopre è in qualche modo una misura della sua forma, della maniera in cui si dipana nello spazio. Possiamo allo stesso modo, con alcune procedure, fare l'operazione contraria, ovvero definire un numero a partire da questa forma: la cosiddetta dimensione frattale, che può essere vista come il numero che ci dice con quale efficacia lo spaghetto ricopre il piano a sua disposizione. Questo numero non è chiaramente un numero intero, ma un numero reale; un numero con la virgola, lo dico a beneficio dei parenti di cui sopra. Se lo spaghetto lo lasciassimo cadere a caso, sarà un numero poco superiore a uno; se invece lo arrotolassimo come una stringa di liquirizia, in modo tale che ne risulti una spirale compatta, allora la sua dimensione sarebbe molto vicina a due, in quanto ricoprirebbe il piano in modo efficace ed omogeneo, simile ad un vero oggetto bidimensionale. Se, con molta pazienza, ne facessimo un gomitolo, otterremmo un oggetto molto simile ad una palla, ed un numero molto vicino a tre. Ora, io mi chiedo, e vi chiedo: cosa succede se invece al mio spaghetto faccio uno o più nodi? E cosa succede se gli faccio tanti nodi? Che dimensione frattale avrà?

Carlo posò lo spaghetto con delicatezza accanto al piatto.

– Bella domanda. E la risposta è: non lo so. Non so rispondere con certezza senza vedere prima il tipo di nodi, e quanti ce ne sono. A questo punto qualcuno potrebbe pensare che si potrebbero classificare i nodi, o descriverli nel modo più dettagliato possibile. Io, invece, proponevo una diversa soluzione. Scusi, professor Mizutani, mi presterebbe la sua cravatta? Senza disfare il nodo, per cortesia.

Dopo un attimo di smarrimento, il severo giapponico alla destra di Carlo si sfilò la cravatta e la porse a mio fratello con lieve titubanza. Carlo, prendendola per il cappio, la mostrò al pubblico.

– Ecco. Se voi vedeste la cravatta di Mizutani, e la confrontaste con la mia, non avreste dubbi su chi dei due è il proprietario. Basterebbe guardare la dimensione. Senza andare alla dimensione frattale, basterebbe la dimensione del nodo.

Buona parte del pubblico scoppiò a ridere. In effetti, nonostante mio fratello e Mizutani fossero vestiti in modo completamente diverso, avevano lo stesso, identico modello di cravatta: certo, la cravatta grigio perla era perfetta per l'impeccabile completo blu dell'orientale, ma stonava in modo clamoroso con la giacca di mio fratello. Ma, anche isolate le cravatte dal loro contesto, il confronto tra il nodo perfetto, compatto e simmetrico del figlio del Sol Levante e l'abuso edilizio che sfoggiava mio fratello tra collo e sterno era piuttosto impietoso.

– Io e Mizutani – disse Carlo restituendo la cravatta al nipponese – siamo partiti dallo stesso identico materiale, e l'abbiamo utilizzato in modo palesemente distinguibile. E, senza molto sforzo, riconducibile a uno qualsiasi dei due; anche senza aver mai visto uno dei due con la cravatta, è abbastanza chiaro che il nostro diverso modo di concepire l'eleganza si manifesterebbe dalla dimensione del nodo. Ora, io mi chiedevo: è possibile riconoscere un musicista allo stesso modo?

Carlo, facendo una pausa, prese nuovamente lo spaghetto, e tenendolo come se fosse una bacchetta incominciò a dirigere un'orchestra immaginaria, continuando nel contempo a parlare.

– Se pensiamo al pentagramma come a uno spazio da riempire, e alle note che si susseguono come anelli di una catena, un anello diverso per ogni nota, dove ogni nota è unita all'altra da un filo che si dipana; e se analizziamo per via numerica questo strano e immateriale filo argenteo che si srotola nel tempo, così come uno spaghetto si dispone nello spazio, ed esprimiamo la sua forma e la sua complessità attraverso un singolo numero, sarà possibile trovare il numero caratteristico di ogni compositore? Sarà possibile, dal modo in cui questo oggetto riempie lo spazio dei suoni a sua disposizione, *calcolare* quale musicista lo ha composto?

Carlo fermò la mano, abbassandola, e la bacchetta ritornò spaghetto. Dopo un momento di silenzio più lungo dei precedenti, riprese a parlare, con voce lievemente più bassa di tono.

– Per molti anni, questa è stata la domanda che ha accompagnato le mie giornate. Ho dedicato molti dei miei migliori anni alla definizione di dimensione frattale di una sequenza. E per anni ho applicato quella definizione, il frutto dei miei studi, all'analisi della musica. Da parecchi anni, ormai, conosco la risposta alla domanda.

Carlo, scostando la sedia dal tavolo, si allontanò lievemente dal proprio posto, e poggiò le mani sulla tovaglia, fissandola per un attimo. Quindi, sollevando la testa, terminò sorridendo:

– E la risposta, amici miei, è no.

Lunedì mattina

– Buongiorno, signor Consani.

– Buongiorno, signor Leonardo – lo salutò il barista, sorridendo. – Stia tranquillo che stamani 'un l'ha cercata nessuno, eh. Nemmen le guardie forestali.

– Meno male, via. Potrò prendermi il caffè in pace.

– C'è de' problemi colla macchina? – chiese il signor Consani, mentre andava alla macchina (quella espresso).

– Eh, qualcuno. Niente di preoccupante – mentì Leonardo, che di prima mattina non aveva esattamente voglia di parlare ancora dell'automobile.

– Ma ni cianno fatto quarche casino? – chiese il signor Consani, mai domo nel farsi i cazzacci altrui, come ogni vero caffettiere che si rispetti. – Perché alle vorte quando ti rubano la macchina ci fanno le peggio 'ose...

– Ma niente... – mentì Leonardo. – Pare che il tizio che me l'ha rubata ci abbia rimediato qualche multa.

– Ma te guarda lì che mondaccio... – empatizzò il signor Consani. – Solo il caffè, o fa anche colazione?

– No, no, anche una sfoglia con la Nutella. Anzi, guardi, me ne dia due.

– Non c'è la signora, eh? Se n'approfitta?

– Badalì – disse Leonardo amaramente, mentre brandiva il dolce. – Tanto mi faranno dimagrire in prigione.

– Ora 'un esageri, via, per qualche multa. A proposito, ma son multe prese ner Comune?

Leonardo, a bocca piena, annuì.

– Perché io conosco una perzona che lavora in Comune, che s'occupa propio di questi problemi vì – disse il signor Consani, mettendo il caffè di fronte a Leonardo. – Si chiama ragionier Birigozzi.

Leonardo, prendendo in mano la tazzina, guardò il signor Consani con occhio nuovo.

– E lei lo conosce bene?

– Dìo bono – confermò il signor Consani, chiamando come al solito l'Altissimo a testimone delle proprie affermazioni. – Viene vì ogni mattina a fare colazione. Guardi, è di là 'n saletta proprio ora. Io, se fossi in lei, proverei a senti' se ner caso lui 'un ci pole fare nulla. 'Un si sa mai.

Mi legge nel pensiero, caro signor Consani.

Nei giorni addietro, talvolta Leonardo si era trovato a ragionare su che faccia potesse avere il famigerato ragionier Birigozzi.

Dopo alcune iterazioni, Leonardo si era convinto che il deficiente in questione dovesse avere una di queste facce da contadino convertito al settore terziario: un bel sorriso largo, inversamente proporzionale all'elasticità del proprio cervello, corredato da due belle gote rosse per i weekend passati a pescare le carpe nei laghetti artificiali. Una camicia di cotone a quadretti pastello, con canottiera di flanella sotto, uno spiccato accento della piana e una quarantina di chili di sovrappeso completavano adeguatamente il personaggio. Se avesse dovuto scegliere un aggettivo per descrivere il proprio Birigozzi immaginario, la scelta sarebbe caduta senza alcun dubbio su «stolido».

Il ragionier Birigozzi in carne ed ossa, invece, si rivelò essere molto più fornito delle seconde che della prima: un tipo sui trentacinque, col naso adunco, secco come un uscio e abbronzato come uno che non fa una sega dalla mattina alla sera; la fronte (presumibilmente bassa) era nascosta da un paio di occhiali da sole con le lenti grosse come finestre, e dai pantaloni corti spuntavano due gambe depilate, con il simbolo del Pisa Calcio tatuato su un polpaccio. Per farla breve, l'unica cosa che aveva indovinato Leo era la provenienza dal contado.

– Buongiorno – disse Leo, sedendosi al tavolo dove il tipo stava bevendo il caffè, con il «Tirreno» squadernato davanti alle pagine sportive.

– Buongiorno – rispose il ragionier Birigozzi, col tono di chi non capisce, e rimettendosi subito a leggere.

– Scusi se la disturbo... – iniziò Leonardo. – Mi ha detto il signor Consani che lei lavora in Comune, giusto?

Stavolta, era chiaro che Leonardo ce l'aveva con lui. A malincuore, il tanghero alzò la testa dal giornale, dove veniva narrata con dovizia di particolari l'ingiusta sconfitta patita dal Pisa nella finale dei play-off.

– E allora?

Risposta, e tono, suggerivano che anche qui Leonardo avesse indovinato solo parzialmente; nella fattispecie, sembrava che l'aggettivo più adatto per descrivere il ragionier Birigozzi non fosse «stolido», e che solo le prime due lettere fossero corrette.

– Niente, siccome mi sembra di aver capito che lei si occupa di trasferire i ruoli delle multe, volevo chiederle se era possibile...

– Senta, i reclami si fanno in Comune. Qui siamo ar barre.

– E se vado in Comune, con chi dovrei reclamare?

– Coi miei colleghi. Però a quest'ora non trova nessuno.

– Tutti al bar, eh?

Il ragionier Birigozzi sollevò la testa dal giornale, senza guardare Leonardo.

– Senta, io l'ho capito che lei ha voglia di litigare. Siccome io però voglia di litigare non ce l'ho, se lei ci tiene tanto a prendessela con qualcuno vada a casa dalla su' moglie, eh? E mi lasci in pace.

– Guardi, mi spiace aver ironizzato. Quello che volevo era solo dirle...

– Guardi, l'ho capito cosa vòle lei, cosa crede? Lei viene vì, mi fa du' moine, m'offre un caffè e io ni levo la murta. Pensava di fa' così, vero? E invece non si fa così. Io sono un pubblico ufficiale, cosa crede?

E, infastidito, il ragionier Birigozzi si alzò, dirigendosi verso il bancone e verso il signor Consani.

– Piero, mi dai un po' la chiave der bagno?

Leonardo, con lentezza, si stava alzando dal tavolo, chiedendosi per quale motivo da un po' di tempo a questa parte incontrava solo stronzi, quando il suo sguardo incocciò nella valigetta del ragionier Birigozzi.

Che fosse sua, nessun dubbio: al di là del fatto che era appoggiata sul divanetto accanto al giornale, la spilla a forma di croce gemmata con la scritta «Pisa nel cuore, il Pisa ovunque» bastava a togliere ogni possibile dubbio. Lì per lì, gli venne in mente di rubarla. Poi, per fortuna, andò in suo aiuto il pensiero laterale.

Che cos'è il pensiero laterale?

Racconta Edward De Bono che un giorno uno strozzino, ad un debitore che gli chiedeva di annullare il debito, rispose con una proposta. Io, disse lo strozzino, ho nella mia borsa due sassi, che ho appena raccolto dalla strada. Un sasso è bianco, e l'altro sasso è nero. Tu metti la mano nella borsa, e peschi un sasso. Se è nero, ti annullo il debito. Se è bianco, te lo annullo lo stesso, ma tu mi darai in sposa tua figlia.

Il poveraccio accettò, ma dopo aver accettato si rese conto che la strada su cui stavano camminando era fatta tutta di sassi bianchi, e non ce n'era uno nero nemmeno a pagarlo. Nella borsa, lo strozzino aveva sicuramente due sassi bianchi. Allora, messa la mano nella borsa, ne prese un sasso e la tirò fuori chiusa a pugno.

Tu mi giuri di aver messo due sassi nella borsa, uno bianco e uno nero? chiese il debitore. Certo, rispose lo strozzino, lo giuro.

Allora, rispose il debitore, io ho appena preso un sasso, che è chiuso nella mia mano. Guarda di che colore è quello che è rimasto in borsa: se è bianco, significa che io ho appena pescato quello nero, e quindi devi annullarmi il debito senza avere nulla in cambio.

Mentre Leonardo guardava la borsina del ragionier Birigozzi, gli venne in mente qualcosa di molto simile.

Giusto: per fare danno a qualcuno tramite un furto, non è necessario rubargli la borsa. Si può anche metterci dentro qualcosa.

– Allora, Giacomo, come si va?

– Benissimo, direi – rispose Giacomo, accendendosi un bel sigarone al di là della cornetta. Era quasi un riflesso condizionato, quando parlava al telefono con il proprio editore.

Quando ci si trovava di persona di fronte ad Emerico Luzzati, infatti, fumare era proibito nel modo più assoluto: non perché il signor Luzzati fosse uno di quegli intolleranti assoluti che per un mondo migliore, posti di fronte alla scelta se eliminare il fumo o i rompicoglioni, eliminerebbero il fumo, ma semplicemente perché da buon cardiopatico aveva dovuto espungere dal proprio vocabolario tutta una serie di verbi divertenti, tra cui «fumare», sia all'attivo che al passivo.

– Te, piuttosto, come va?

– Ora bene. Angelica mi ha appena inoltrato la prima parte del manoscritto. Anche se, ad essere sinceri, avevo capito che il libro era già finito.

– Sì, in teoria sì. Ma mentre ero in vacanza mi sono successe alcune cose... – tipo che mi hanno rapinato in casa e non avevo più il romanzo, cosa che ti abbiamo tenuta nascosta perché consapevoli entrambi di avere un editore cagionevole, e ci sembrava veramente brutto farti venire un infarto – ... e così ci ho rimesso mano sopra parecchio. Diciamo che la trama non cambia molto, ma è tutto un altro punto di vista.

– Bene. Ne sono lieto. Quello che mi avevi raccontato era un po'... come dire...

– Pessimista?

– Ecco, una specie. Allora, io stasera inizio a leggere. Quando ce la fai a darmi il resto?

– Hai fretta?

– Sì, anche parecchia.

Leonardo posò la borsina portacomputer sul divano. Non si era nemmeno tolto le scarpe, entrando.

– Va bene. Dammi un attimo che te lo cerco subito.

– Brava. Grazie.

Passò qualche secondo, mentre Letizia scartabellava e Leonardo passeggiava nervosamente in su e in giù, accanto al divano. Poi, Letizia arrivò in salotto con un cartoncino in mano.

– Ecco qua. Ana Corinna Stelea, Polizia di Stato. Ho capito che hai fretta, però magari evita di lasciarmi la borsa sul divano. Chissà dove l'hai strusciata –. Letizia prese in mano la borsa, mentre Leo si metteva il cartoncino in tasca. – Ma...

– Che c'è?

– Come mai è così leggera? E il computer?

– Quale computer?

– Il computer rosso, quello della ditta. Quello che sembrava il tuo. Mi pareva che tu l'avessi messo qui dentro, prima di uscire.

– Ah, quello? L'ho lasciato a qualcuno che ne aveva bisogno. Senti, vado a chiamare la pennellessa e arrivo subito.

– Ma perché, non la puoi chiamare da qui?

– None. Certe chiamate è meglio farle da un telefono pubblico.

– Pronto?

– Pronto, pallo con l'agente Shtelea?

– Sì, sono io. Lei chi è?

– Il mio nome non ha importanscia. Le uoleuo sholo diue che schtanotte alle due, dietro alla cappeuua di Shanta Auata, gli e'ecutori del futto pessho la ditta 'eaderscioft sci incontueanno co' un uicettatoue.

– Come? Scusi... ha detto cappella di Santa Agata?

– E'attamente. Sha dou'è?

– Certo. Ma, scusi, lei chi...

Leonardo buttò giù, con un gesto solenne. Quindi, dopo essersi tolto di bocca la patatina novella, gli venne spontaneo il primo sorriso della settimana.

– Babbo, babbo, babbo...

Seduto sulla sua poltrona preferita, con davanti la televisione accesa, il ragionier Birigozzi non voltò nemmeno la testa. Cosa che del resto, quando il figliolo lo chiamava, accadeva piuttosto di rado. Il figliolo l'aveva voluto la moglie, se ne occupasse la moglie.

– Cosa vòi?

– Lo posso prendere l'aiPèd? Dai, dai, lo posso prendere l'aiPèd?

In circostanze normali, il ragionier Birigozzi (che, all'anagrafe, si chiamava Yuri) avrebbe risposto negativamente al proprio unicogenito (a cui era stato imposto, e mai come in certi casi la lingua si rivela appropriata, il nome di Kevin) e gli avrebbe chiesto in modo non troppo forbito di non rompere i coglioni; se non che, proprio nel momento in cui il pargolo formulava la propria innocente richiesta, dalla televisione partì la sigla de «La voce degli spogliatoi».

Di fronte a un diniego, il piccolo Kevin sarebbe stato capace di piantare una bizza dell'intera durata della trasmissione. E visto che la moglie era di turno, toccava a lui.

– Guarda nella valigetta nera del lavoro di babbo. Occhio a non graffiallo perché m'incazzo.

E fu così che il piccolo Kevin, andando a frugare nella borsa del babbo per prendersi la tavoletta magica, si trovò sotto le dita un computer di color rosso fuoco, leggero come una carezza di fata e luccicante come la Ferrari di Alonso.

E, da autentico nativo digitale, dopo averlo aperto lo accese.

– Pronto?

– Pronto, agente Stelea?

– Sì, sono io.

– Sono Pierpaolo Tenasso di LeaderSoft. Avrei una informazione della massima urgenza.

– Addirittura. Mi dica.

– Circa quattro minuti fa, qualcuno ha acceso il mio computer. Mi è arrivato un messaggio da Dropbox, sul mio telefonino, per dirmi che il mio computer aveva effettuato l'accesso automatico.

– Ah. Quindi, cosa può vedere di preciso?

– Tutto. Posso darle anche l'indirizzo IP completo del computer. In questo momento è rintracciabile fisicamente. Ha da scrivere?

Lunedì notte, parecchio tardi

La miglior dote di un poliziotto è saper aspettare.

Della situazione esterna, Corinna non poteva lamentarsi: la temperatura era sopportabile, la notte calma, e le condizioni ottimali. A dieci metri da lei, dietro una siepe, quel che rimaneva del vicequestore Anniballe, vistosamente dimagrito in seguito all'infezione gastrointestinale ma volenteroso nel rispondere alla chiamata del dovere, e a guardare le spalle alla propria sottoposta. Ben nascosto, e virtualmente invisibile.

Piuttosto, era della propria visibilità che Corinna era preoccupata. Va bene l'impossibilità di trovare un appartamento o un nascondiglio con così poco preavviso, va bene la necessità di entrare in contatto con i sospetti, ma lì si esagerava.

– Dobbiamo tenere sotto sorveglianza un posto in piena vista – aveva detto il dottor Corradini. – Ha presente la cappella di Santa Agata?

– Non precisamente, signor questore.

– Un posto vicino a un dedalo di vicoli dove è praticamente impossibile tentare un inseguimento di qualsiasi tipo – aveva risposto il questore. – Con le auto ci muoveremmo male. E abbiamo avuto troppo poco preavviso per organizzarci in altro modo. Quindi, dobbiamo sorvegliare sul posto. Dobbiamo poter avere la possibilità di attirare qualsiasi personaggio sospetto.

– Attirare?

– Certo. Non possiamo mica chiedere a chiunque passi dalla piazzetta della cappella se ha dei computer rubati in auto. È necessario fare in modo che siano i ladri a interagire con noi. Dobbiamo sorvegliare la scena dello scambio in modo palese ma apparentemente innocuo, così che il ladro, chiunque egli sia, si senta disturbato dalla nostra presenza e debba intervenire per allontanarci. Agente Stelea, tocca a lei. Sarà lei il nostro agente provocante.

– Intende dire agente provocatore?

– Intendo dire esattamente ciò che ho detto.

E così, Corinna al momento si trovava con la schiena appoggiata all'unico lampione in prossimità della cappelletta di Santa Agata, in calze a rete, minigonna rasochiappa e tutta l'apparenza di una degna e giovane collega della mamma del dottor Corradini. L'unica differenza nell'attrezzatura di Corinna, rispetto a quella di una professionista dell'adescamento, riguardava la sicurezza personale: nella borsetta, al posto dei preservativi, la ragazza aveva ritenuto più opportuno mettere la pistola d'ordinanza.

Per il resto, indistinguibile.

Talmente efficace, il travestimento, che Corinna si chiedeva cosa avrebbe fatto nel caso in cui una macchina si fosse fermata aprendo la portiera accanto al lampione.

– E se qualcuno si ferma lei sale, gli indica un vicolo dove andare, e mentre andate tira fuori il tesserino e gli spiega come e qualmente, essendo lei un agente di polizia sotto copertura, stasera sono seghe –. Il dottor Corradini ridacchiò. – Ma stia tranquilla, non si fermerà nessuno.

– Sono così brutta?

– Non dica fesserie, Stelea. Vede, quella è una zona a traffico limitato. Un posto buio, ma tranquillo. Solo un idiota potrebbe mandare qualcuno a battere lì. È una zona residenziale, un quartiere per famiglie. Mica si va a troie con il cane al guinzaglio.

E nemmeno a piedi con lo zaino, pensò Corinna vedendo arrivare il terzo essere umano della serata. I primi due erano stati una coppia sulla cinquantina, probabilmente di ritorno da un cinema d'essai, che le erano sfilati accanto con una faccia che era tutta un programma. Ma mentre i due coniugi le erano passati a un paio di metri ostentando una dignitosa indifferenza, il tizio con lo zaino militare sulle spalle stava visibilmente puntando verso di lei.

Mentre il tipo si avvicinava, la ragazza incominciò a valutarlo come possibile sospetto. E lo scartò automaticamente.

Grosso.

Troppo grosso per poter essere la stessa persona ripresa dalle telecamere della LeaderSoft. E allora cosa voleva?

Mentre Corinna pensava, il tipo era arrivato a meno di un metro dal lampione, piazzandosi esattamente di fronte a lei.

Grosso.

Troppo grosso per non avere paura. Senza contare la faccia, con un'espressione assente e vagamente scocciata, contornata da un orecchio mozzato da un morso a metà del padiglione.

– Di chi sei?

Corinna guardò il tizio, non capendo. L'uomo, dopo qualche secondo, ripeté:

– Di chi sei? Chi ti guarda?

Ecco. Alla faccia della zona tranquilla. Qualcuno doveva aver avvisato i pappa della provincia che c'era una battona non autorizzata in una zona franca, e avevano mandato uno spaventapasseri a darle un avvertimento. Prendi tempo, Corinna, prendi tempo.

Mentre Corinna rimaneva muta, da dietro al muro della banca spuntò un secondo uomo. Un tipo piccolo, mingherlino, pelato, che si guardò intorno rapidamente.

– Chi ti guarda? – chiese l'uomo. Questa volta, lo chiese in rumeno.

Corinna si lasciò sfuggire un piccolo sorriso tirato.
Pace.

Volevo catturare due ladruncoli e invece arresteremo il tirapiedi di un pappone. E i ladri, addio. Del resto, da un'operazione cominciata travestendosi da puttana, cosa ti vuoi aspettare, se non che vada definitivamente a puttane?

Poco da farci. Visto che siamo in ballo, balliamo.

– La Polizia di Stato, mi guarda – rispose Corinna. In rumeno anche lei.

Nel frattempo, il secondo tizio si era avvicinato alla strana coppia. Anche lui, notò Corinna con la coda dell'occhio, aveva un grosso zaino sulle spalle.

– Che succede? – disse, col fiatone.

Come se lo zaino fosse pesante.

– Ragazza spiritosa – disse quello grosso, senza guardare Corinna.

– Troppo alta per i miei gusti – rispose il tizio mingherlino, sempre col fiatone. – Mandala via.

Il tipo grosso sorrise, e si avvicinò ulteriormente a Corinna, mettendole una mano intorno al braccio sinistro.

Una mossa minacciosa.

Molto meno minacciosa della Beretta d'ordinanza che Corinna gli puntò in faccia.

Mentre il tipo grosso sbiancava, il tizio mingherlino si voltò e partì di corsa.

Fece dieci metri, prima di fermarsi di fronte alla pistola spianata di Anniballe.

– Tutto bene, Stelea?

– Tutto benissimo, grazie. Lei, tutto bene?

– Sì, ora meglio – disse Anniballe, tremando. – Non sarei stato in grado di correre per altri cinque metri.

Meno male che quello lì andava a dieci all'ora, con quel coso sulle spalle.

– Dev'essere pesantissimo – disse Corinna.

– Pesantissimo sì – rispose Anniballe, aprendo l'oggetto. – E ci credo. È pieno di computer. Bene, bene. Allora, adesso la burocrazia. Per il momento, abbiamo due arresti per aggressione a pubblico ufficiale. Il resto verrà. Adesso, bisogna avvertire il grande capo. Che ore sono?

Le due e quaranta.

Se sua moglie lo avesse visto rimanere alzato fino a quell'ora, gli avrebbe rotto le scatole a morte. Ma siccome Emerico Luzzati non era sposato, poteva tranquillamente fregarsene e continuare a leggere.

Dopo aver spostato il pouf davanti alla poltrona, il dottor Luzzati si rimise a sedere, a gambe incrociate, con uno sbuffo soddisfatto.

Quindi, ripreso il manoscritto, si rimise a leggere.

Capitolo ventesimo

– E permettemi di ribadirlo: no. Non si può riconoscere l'autore di una composizione analizzandone
per via numerica la melodia. O, almeno, permettetemi di correggermi: per quanto mi riguarda, no. Io non
ne sono stato capace. Da questo punto di vista, la mia
vita professionale è stata decisamente priva di risultati di rilievo. L'unico contributo che, apparentemente, sembra essere stato generato dai miei studi è
proprio la mia definizione di dimensione frattale.
Quello che tutti voi conoscete come «numero di Trivella». Un numero che indica la dimensione frattale
di un testo, o di un segnale, o di un pezzo di corda
che si dipana lungo una singola dimensione come il
tempo, o un pentagramma, o un foglio, o qualsiasi cosa vogliate voi. Questo numero è in grado di individuare e di discriminare molte composizioni, indican-
done correttamente l'autore. Attenzione: molte, non
tutte. Molte composizioni di Haendel, per esempio,
hanno un numero di Trivella molto vicino a due, ma
alcune hanno un numero brutalmente diverso. Ciò non
è sorprendente, visto che Haendel fregava pezzi di me-
lodie a parecchi suoi contemporanei. La sua vittima

prediletta era Bononcini. Pare che una volta venne visto da un suo allievo mentre componeva a partire da un tema dell'italiano, e quando l'allievo gli chiese perché lo stesse facendo lui abbia risposto «è roba troppo buona per lui, non saprebbe che farsene». Ciò non di meno, anche nelle composizioni che non contengono, diciamo così, citazioni, ci sono esempi che sono assolutamente autografi di Haendel, e che sfuggono a questa mia classificazione. E ci sono pezzi spuri, classificabili come bieche imitazioni di Haendel, che pur tuttavia hanno un numero di Trivella molto vicino a due. Insomma, per concludere, l'idea di associare a ogni compositore una dimensione frattale è una idea meravigliosa. Una idea elegante, bella e affascinante. Ha un solo difetto: non funziona.

L'uditorio, avvertendo che il discorso volgeva al termine, si sistemò meglio sulla sedia. Dal canto mio, quello sarebbe stato il momento per avvertire la brigata di sala che in cinque minuti l'oratore avrebbe presumibilmente concluso, e che quindi dovevano riattivarsi. Carlo, che nel frattempo aveva fatto un passo indietro, si guardò in giro; e dopo essersi reso conto che la sala si aspettava una conclusione, mio fratello riprese la parola, con un tono che mi parve lievemente più sereno.

– Ed eccoci giunti, cari amici, alla fine del mio discorso. Che terminerò, come ho iniziato, con una domanda. Come si valuta la validità di una ricerca?

Carlo, allontanandosi ancora di più dal tavolo, incominciò a camminare, a passi lenti, mentre i presenti lo seguivano con gli occhi, con la testa e con il collo. Passi lenti e misurati, che si dirigevano verso un posto ben preciso.

– Esistono ricerche ridicole e ricerche importanti? Si può valutare la bontà di una ricerca sulla base del suo argomento? Io, da matematico, mi sono occupato per tutta la vita di musica, con l'unico risultato di aver aumentato la consapevolezza della mia ignoranza. E, per tutta la vita, mi sono chiesto se quello che facevo avesse un minimo senso, o se stessi sprecando il mio tempo. Prima di tentare di dare una risposta definitiva, permettetemi di presentarvi il dottor Mansoor Rashid.

Mentre parlava, Carlo era arrivato alle spalle di un giovane alto e curvo, con le spalle strette e un paio di baffetti inguardabili che guarnivano un sorriso imbarazzato e vagamente ebete.

Posando le mani sulle spalle di quel bambinone troppo cresciuto, il cui imbarazzo non accennava a diminuire, Carlo continuò con tono solenne.

– Molti di voi oggi erano presenti alla presentazione del dottor Rashid. Permettetemi di ricordare, a beneficio di quanti se la sono persa, che oggi il dottor Rashid ci ha illustrato un algoritmo di analisi delle scosse telluriche in grado di estrapolare l'evoluzione temporale di uno sciame sismico nell'arco di una settimana. In altre parole, un algoritmo in grado di prevedere i terremoti.

Ecco. Allora era questo il risultato epocale. Be', devo dire che non avevano esagerato.

– Per la prima volta, nella storia della scienza, un algoritmo è stato in grado di prevedere l'evoluzione di uno sciame sismico non solo in modo retroattivo, cioè sui terremoti passati, ma in modo preventivo e riproducibile. Non solo il metodo del dottor Rashid è stato in grado, quando applicato ai casi passati, di prevedere correttamente l'evoluzione delle cosiddette scosse preventive, sia nel caso in cui portassero effettivamente ad un evento sismico maggiore, come ad Haicheng, in Cina, sia nel caso in cui non culminassero in un evento sismico violento, come nel famoso caso di Parkfield, in California. Grazie all'analisi del dottor Rashid, come ricorderete, per ben due volte nello scorso anno due città nel mondo sono state allertate circa la possibilità di terremoti di un grado superiore al settimo della scala Richter. In entrambi i casi, il terremoto si è verificato. Forse è ancora presto per dire che tutti i terremoti possono essere previsti, ma di sicuro, ripeto, per la prima volta è stato presentato alla comunità scientifica un metodo chiaro e riproducibile per calcolare l'evoluzione di uno sciame sismico. Vi chiedo solo di immaginare la mia emozione nel vedere che parte integrante del metodo del dottor Rashid sta nell'attribuire ad ogni faglia una dimensione frattale. Per essere più precisi, un numero di Trivella, calcolato secondo il metodo di Trivella. Per favore, dottor Rashid, si alzi in piedi.

Mentre il dottor Rashid si alzava, la professoressa Fitzsimmons-Deverell si affiancò a mio fratello, con in mano un astuccio di velluto blu.

– Prima di lasciare che la professoressa Deverell, a nome dell'ISAM, conferisca al dottor Rashid la targa Conti, e prima di congedarmi da voi come direttore di questo istituto, permettetemi di rispondere alla mia ultima domanda, nello stesso modo in cui ho risposto a quella precedente: no. Non esiste una dignità della ricerca, perché nessuno può dire con sicurezza che una data ricerca non serve né servirà mai a nulla. Quando ho sviluppato la mia teoria della dimensione frattale, non avrei mai pensato che un giorno avrebbe potuto essere applicata in geologia. Non possiamo sapere se teoremi matematici stimolati dallo studio della musica potranno mai avere applicazioni fondamentali in medicina, in geologia o in fisica nucleare. Possiamo solo fabbricare mattoni; mattoni universali, con cui sia possibile fare qualsiasi cosa. Possiamo farci case, torri, ospedali, e persino fabbriche di mattoni. Ed è nostro dovere farli solidi, più solidi possibile, affinché le torri che edificheremo con quei mattoni possano arrivare più in alto possibile, e durare oltre le nostre vite. E quando qualcuno, qualche economista convinto che la cultura e la ricerca non si mangiano, ci chiede a che cosa serve quello che facciamo, teniamo in mente quello che rispose Faraday a Gladstone. Lei lo sa, dottor Rashid?

Sempre sorridendo, il dottor Rashid scosse la testa. Carlo lo tolse dall'imbarazzo.

– Quando Gladstone, in qualità di ministro, visitò il laboratorio di Michael Faraday, rimase piuttosto deluso nel vedere quelli che a lui sembravano solo dei pezzi di ferro, e chiese allo scozzese a che cosa mai sarebbe potuta servire l'elettricità. E il buon Michael rispose francamente: «A che cosa serve un neonato, signor ministro?».

Carlo fece una pausa ad effetto. L'ultima.

– Poi, dopo averci pensato un attimo, infierì: «Di una cosa sola sono sicuro, sir: un giorno potrete tassarlo». Signore e signori, in piedi, per favore. Per la quarta volta nella storia della nostra società, abbiamo deciso di conferire una targa Conti.

– Allora, ti sono piaciuto?

– Diciamo che mi hai sorpreso.

– Vero? Devo dirti la verità, mi sono sorpreso da solo. Mi passeresti quella bottiglia?

Presi con lentezza del tutto intenzionale la bottiglia dell'acqua, ignorando quella del vermentino.

– Non è da te ignorare la richiesta di un avventore – disse Carlo con un sorriso.

– E non è da te sbronzarsi come un cosacco – risposi, mentre versavo. Il fatto, vedete, è che mio fratello non beve. O, meglio, non beveva. Aveva sempre rotto le scatole a tutti col fatto che l'alcol annebbia le facoltà mentali – lui diceva «obnubila» – e che a lungo andare la cosa andava a danno anche del fisico – lui diceva «detrimento».

– Lo so, lo so. Ero curioso di vedere cosa mi ero perso. Sai, non puoi dire che una certa cosa non funziona, finché non la provi, giusto?

– D'accordissimo.

Ci fu un momento di silenzio, fra noi. Un silenzio di quelli rari.

– Non stai parlando solo dell'alcol, vero?

Carlo scosse la testa, mentre buttava giù la prima sorsata insapore della serata. Poi, asciugandosi la bocca, confermò a voce.

– No, no. Vedi, conosco da tempo il lavoro dell'iraniano. Però il fatto è che oggi, ascoltandolo, ho sentito un particolare che mi ha fatto venire un'idea. Sai, una di quelle cose che quando ti vengono in mente pensi che è impossibile che nessuno ci abbia mai pensato prima, e quindi vai a controllare... – Carlo fece il gesto di afferrare un mouse immaginario, col risultato di rovesciare il bicchiere – ... e scopri che effettivamente è vero, nessuno ci ha mai pensato prima. Ti sembra incredibile, ma è così. Ho fatto danno?

– Appena appena – risposi, cominciando a tamponare. – E che idea sarebbe?

Carlo, invece di rispondermi, continuò a scuotere la testa soddisfatto. Ci fu ancora qualche attimo di silenzio, mentre tentavo di arginare il lago da tavolo che mio fratello era stato in grado di creare con disinvoltura.

– Hai mai pensato – disse Carlo, dopo qualche secondo – che la gente parla troppo?

– Spesso, direi – risposi, mentre finivo di rimediare al danno. – Stasera, per esempio...

– Sì, va bene. Ma pensaci un attimo. Siamo nell'epoca dei reality show, dei talk show, dei talent show. E tutti ci tengono a darti la loro opinione. Non ho mai sentito nessuno, in pubblico, dire «non mi esprimo perché di questo argomento non ci capisco una mazza».

Prima, magari, premettono che sono ignoranti, ma dopo ti danno la loro opinione lo stesso. A farci caso, l'unico personaggio televisivo a cui non ho mai sentito dire una parola è Maggie Simpson. Si sta perdendo il valore intrinseco del silenzio.

– Insomma, non mi vuoi dire quale sarebbe questa nuova idea.

– A tempo debito, a tempo debito... – disse Carlo, alzandosi in modo piuttosto malfermo dalla sedia. – Ora, se i bagni sono sempre dov'erano oggi pomeriggio, vado un secondo a verificare che funzionino. Poi, temo di aver bisogno che qualcuno mi accompagni a casa. Mi aspetti qui?

Qualche giorno dopo

– Allora?

Il dottor Luzzati, dopo che Giacomo si fu seduto sulla «poltroncina degli ospiti di riguardo» – una seduta di pelle logora, dalle gambe malferme e con lo schienale completamente esfoliato – lo guardò da sopra alle mani, giunte davanti alla bocca come se qualcuno gli avesse appena fregato l'armonica.

– Be' – disse il dottor Luzzati, da sopra le mani – è molto diverso da come me lo ero immaginato. E dalla sinossi che mi avevi dato un anno fa.

– Sì. In effetti, sì.

Il dottor Luzzati restò in silenzio, con le mani giunte, infossato nella poltroncina.

– Diciamo – ridacchiò Giacomo – che mi sono reso conto che, da un punto di vista editoriale, non mi piaceva più giocare a golf. E allora, tanto valeva che non mi guardassi intorno alla ricerca di un altro sport tradizionale, ma che decidessi io le regole del gioco a cui giocare. Che me lo inventassi io. E vediamo se a qualcuno piace giocarci.

Il dottor Luzzati, da dietro le mani, sorrise crollando il capo.

– Allora, Giacomo, posso sbagliarmi – disse, abbassando le mani e appoggiandole sui braccioli per tirarsi su. – Ma ho la sensazione che per il torneo ci vorrà un tabellone bello grosso.

– T'è piaciuto, allora – disse Giacomo, guardando negli occhi il proprio editore.

Il quale, per tutta risposta, cominciò ad annuire con autorevole pesantezza.

Cranio completamente pelato, controbilanciato da un paio di sopracciglia che sembravano una sola, da tanto erano due, il dottor Luzzati scherzava sovente sul fatto di essere in gran forma, e di dimostrare la metà dei suoi effettivi trecento anni: in realtà di anni ne aveva ottanta, e a dispetto dei suoi problemi cardiaci continuava ad avere il cervello di un uomo di quaranta e l'ambizione di una donna di ventisette. E, soprattutto, un fiuto per i libri che aveva del soprannaturale, dimostrabile dai lapidari giudizi dati nel corso degli anni ai manoscritti che giungevano sulla sua scrivania. Quelli che venivano congedati con dei commenti telegrafici – il rarissimo «notevole», il più frequente «gradevole», il sempre più comune «corretto» e l'ambivalente «cazzata, ma vende» – giungevano in consiglio, dove sarebbero stati discussi e calendarizzati; quelli che restavano senza commento venivano invece rispediti al mittente, perché quello era il segnale inequivocabile che il dottor Luzzati non li avrebbe pubblicati mai. A volte capitava che li pubblicasse qualche altro editore, anche se quasi sempre era difficile accorgersene.

– Diciamo che è il migliore da molto tempo – disse il dottor Luzzati, mentre la poltroncina cigolava a ritmo con il suo annuire. – Te l'ho detto, al telefono, e te lo confermo. La cosa migliore che mi dai da almeno una decina d'anni.

Giacomo si agitò un momento, sopra la poltroncina degli ospiti di riguardo.

La poltroncina su cui era seduto Giacomo avrebbe già, di per sé, giustificato una certa emozione, dato che sulla stessa seduta si erano accomodati, nel corso del secolo breve, personaggi del calibro di Hemingway, Sciascia, Bertrand Russell e Primo Levi; tutti amici del dottor Luzzati, il quale per questo motivo non aveva mai fatto rifoderare la poltroncina, e consentiva di usarla solo alle persone per le quali provava rispetto.

Ma il motivo dell'emozione, al momento, non era questo. Era l'argomento nel quale stava per entrare.

– Da molto tempo, sì… – cominciò Giacomo.

– Davvero, guarda. Non ti saprei dire da quanto tempo non apprezzavo un tuo libro.

– Io forse te lo saprei dire, se mi dai un'informazione.

Il dottor Luzzati smise di oscillare, e alzò le sopracciglia talmente tanto che per un attimo sembrò che gli fossero ricresciuti i capelli.

– Davvero – disse dopo un attimo, ritornando pelato anche in prospettiva. – E quale sarebbe?

– Devi solo dirmi quando hai assunto la Terrazzani.

Il dottor Luzzati, stavolta, tenne le sopracciglia basse.

Giacomo, dopo aver preso un bel fiato, riprese:

– Emerico, sono dieci anni che lavoro con Angelica. Anni in cui siamo partiti con io che proponevo cose nuove e lei che bocciava perché «il pubblico non vuole questo da Mancini». E intanto lei che smuove e promuove, che propaganda in pubblico come meravigliosi e densi di significato libri di cui magari ha letto un capitolo. Sono anni, ormai, che promuoviamo e pubblicizziamo un mio libro prima ancora che lo abbia scritto. E sono anni che spero di non tirare le cuoia nei tre mesi che passano dall'annuncio del libro a quando non lo finisco, perché mi immagino la figura di merda nel caso in cui. Anni in cui tiro semplicemente a finire il libro, invece che a scriverlo, con questa tizia che mi parla di marketing, di packaging e di shelf-planning, e mai una volta che mi dica qualcosa su come è scritto il libro.

Il dottor Luzzati accolse immobile la fine di questo sfogo. Poi, dopo un attimo di pausa, chiese:

– Ah. Nemmeno su questo libro?

– Questo libro? – Giacomo ridacchiò. – Vuoi saperla tutta, dall'inizio alla fine, la genesi di questo libro?

– Se non ti dispiace...

E così, Giacomo aveva raccontato, per filo e per segno, e il dottor Luzzati aveva ascoltato, tamburellandosi di tanto in tanto la pelata con le dita della mano. Infine, dopo qualche secondo di rullata ulteriore, aveva posato la mano sul telefono.

– Ce li hai ancora cinque minuti, Giacomo?

– Ma certo. Perché?

Costantino andò a rispondere solo all'ottavo squillo.

– Pronto?

– Pronto, buongiorno.

– Buongiorno a lei.

Buongiorno davvero. La paura, la stessa ragione per cui Costantino da due giorni non usciva di casa e per la quale sentendo squillare il telefono il cuore aveva incominciato a battergli molto vicino alle orecchie, si dissolse all'istante, come camomilla solubile, sentendo che la voce non era quella del Gobbo.

– Sono Martinelli della SCAV, starei cercando Ottaviano Maltinti.

– Sono io – disse Costantino.

– Senta, abbiamo qui il curriculum che ci ha mandato tre mesi fa – continuò la voce al telefono, in modo professionale. – Al momento, staremmo cercando un installatore esperto per manutenzioni fuori sede. Lei è sempre interessato a lavorare per noi?

– Cavolo. Cioè, volevo dire, certo.

– Benissimo. Lei è automunito?

– Certo.

Certo che no. Ma è l'ultimo dei problemi. Se mi assumete rompo il salvadanaio a testate.

– Sarebbe disponibile per domani ad effettuare un colloquio nella nostra sede? Stiamo cercando con una certa urgenza, e al momento lei è l'unico candidato idoneo – l'impiegato spiegò – ma è comunque la nostra prassi svolgere un colloquio. Abbiamo bisogno di capire che tipo di persona sia.

– Più o meno alto come me. Capelli castani, un po' di barba. Potrà avere venticinque, trent'anni al massimo.

– Lo conosce da tempo?

– Se lo conoscessi da tempo non mi sarei fatto fregare in questa maniera, lei che dice?

– Qui le domande le faccio io, signor Bulleri – disse il questore, alzando gli occhi dal foglio. – Dove l'ha conosciuto?

Il Gobbo guardò il questore col proprio monocolo preinstallato.

– A casa di amici. Non ricordo il loro nome, ero andato lì perché gli mancava uno per giocare a carte. C'era questo mio amico che ci doveva andare lui, ma poi m'ha detto se per favore ci andavo io. E lì questo tizio m'ha fregato.

– E non sa dove abita?

Il Gobbo negò, prima con la pelata e poi con la parola:

– No. Purtroppo, no.

Il questore prese i fogli in mano, li squadernò e puntò gli occhi in mezzo alle sopracciglia del Gobbo.

– Ascolti, signor... – il questore guardò un attimo il foglio – Bulleri, che lei si metta in affari con uno di cui non sa nemmeno dove abita mi sembra strano.

Il Gobbo sorrise e si voltò verso il proprio avvocato, che lo guardò di rimando. Attieniti alla versione, gli dissero gli occhi del professionista. Condannato per condannato, vediamo di prendere il meno possibile.

– È il prezzo che si paga ad essere degli sprovveduti, signor questore – concluse il Gobbo, allargando le braccia. – Si figuri lei, se fossi stato esperto, sarei andato a rubare dei computer? Che ho scoperto sulla mia pelle essere la cosa più difficile da rivendere?

– Ho capito – disse il questore, sbuffando. – Senta un po'...

– Dica.

– Le dice niente, a lei, il nome di Leonardo Chiezzi?

– Niente.
Leonardo scosse la testa, vagamente sconsolato. Quindi, con un tocco mesto, chiuse la finestra della posta elettronica.

– Va be', Leonardo, ma quando li hai mandati?

– Eh, ormai sono cinque o sei giorni –. Leonardo si passò una mano fra i capelli.

– Ci vorrà un po' più di tempo, forse...

– Sì, sì, per carità. Ma almeno una ricevuta me l'aspettavo. Un messaggino di circostanza. «Gentile signor Chiezzi, abbiamo ricevuto il Suo curriculum. Al momento, non abbiamo posizioni adeguate per la Sua figura. La ringraziamo tuttavia ugualmente per l'invio, questi fogli serviranno egregiamente per pulire...».

– Leo, per favore. Lo sai che mi dà noia. È un modo di dire orribile.

– Lo so, lo so. Comunque, la questione non cambia. È un periodo di crisi, per dirla coi telegiornali, o di merda, per dirla con il Chiezzi. Il Chiezzi che cerca lavoro, avendo lavorato per ora solo in una ditta il cui amministratore delegato è disposto a testimoniare sotto giuramento che sono un cialtrone. Diciamoci la verità: io non posso fare altro che cercare, ma sarà dura ritrovarlo.

– Eh, sarà dura sì. Però dobbiamo ritrovarlo, non crede? Lei è riuscita a sapere qualcos'altro, oltre al nome?

– No – disse Corinna, rivolta al dottor Corradini. – Entrambi gli arrestati continuano a indicarlo semplicemente con il nome. L'unica cosa in più che abbiamo è una descrizione concorde: tra i venticinque e i trenta, un metro e sessanta circa, corporatura esile, occhi scuri, capelli castani, barba incolta.

– Le ricorda qualcuno?

– Mio padre, a parte la barba.

Il questore guardò Corinna con occhi increduli.

– Lo so, lo so – disse Corinna, interpretando lo sguardo del signor questore. – Era mio nonno la pertica di famiglia. Si vede che ho preso da lui. Mio padre, in effetti, è parecchio piccolo. Lui dice di essere un gigante concentrato.

– Sì. E, volendo mettere da parte la sua famiglia per un istante, c'è qualche somiglianza con criminali a noi noti?

– Mi scusi. No, a prima impressione direi di no.

– Nessuna incongruenza tra le due descrizioni?

– Nessuna significativa. Il Bulleri sostiene che avesse una cadenza toscana lieve, ma comunque inconfondibile. Il Belodedici non ne parla, ma essendo straniero è possibile che la cosa gli sia sfuggita.

– Il Bulleri? Ah, sì, il Gobbo – inquadrò il dottor Corradini. – Incredibile come i soprannomi si sovrappongano ai nomi fin quasi a eliderli, vero? Comunque, in questo caso abbiamo un nome. E anche un nome piuttosto insolito, direi.

– Era quello che avevo pensato anch'io. Ho provato a fare una piccola ricerca –. Corinna tirò fuori la cartellina, e cominciò a leggere. – In provincia ci sono solo quattro persone che si chiamano Costantino. In tutta la regione, circa una trentina. Secondo il Bulleri questo Costantino aveva un accento toscano piuttosto riconoscibile, quindi al momento non credo sia necessario spingersi oltre.

– Bene, bene. Allora, agente Stelea – disse il dottor Corradini, alzandosi dalla propria poltrona in pelle di animale morto per una ingiusta causa – dopo i fuochi d'artificio ora tocca alla vanga. Credo che sia il caso di contattare tutti questi Costantini e vedere un po' se ce n'è qualcuno che corrisponde.

– Agli ordini, dottor Corradini. E...

– Mi dica.

– Un'altra cosa, mi scusi. Che cosa ne facciamo... – Corinna abbassò gli occhi sulla cartellina – ... di questo signor Birigozzi?

– Perché, cosa è successo al ragionier Birigozzi? – chiese Leonardo, sorridendo.

– Dunque, il ragionier Birigozzi al momento è sottoposto a sospensione cautelare amministrativa. Per cui...

– Cos'ha fatto, si è addormentato in ufficio?

– Guardi, non le posso dire niente. Gira voce, ma gira voce, eh, che sia stato sospeso in quanto indagato per ricettazione – disse il funzionario del Comune che si era presentato al telefono come ragionier Ciappi. – Dice che gli abbiano trovato in casa della roba rubata. Io comunque non ne so nulla.

– No, no. Ci mancherebbe. Diceva?

– Niente. Dicevo che, di conseguenza, al momento le sue pratiche sono passate a me. Nell'esaminare la riscossione dei ruoli, mi sono accorto che è stata commessa, diciamo così, una svista, ecco, nei suoi confronti.

Leonardo trattenne il fiato per un attimo. Troppo bello per essere vero.

– Nei miei confronti? Una svista?

– Sì, diciamo così – disse il ragionier Ciappi, dopo un sospiro. – Quindi, all'agenzia di riscossione è stato trasmesso un ruolo per un credito da tredicimilaottocentoventiquattro euro, quando in realtà l'importo esatto è di centotrentotto euro e ventiquattro centesimi.

– Ho capito – disse Leonardo. – E quindi?

– E quindi, adesso ho provveduto a trasmettere il ruolo corretto all'agenzia di riscossione. Avrei solo bisogno di lei per essere certo che la cosa vada a buon fine.

– A sua piena disposizione – disse Leonardo. – Mi dica tutto ciò che devo fare.

– Spiegarmi se quello che mi ha detto Giacomo è vero.

Seduta sulla poltroncina in cuoio nero, le gambe accavallate, Angelica guardò Giacomo, con aria fintamente contrita.

– Sì, Emerico, è così. Giacomo non aveva salvato nemmeno una copia del romanzo. Abbiamo rischiato di mandare tutto in vacca.

– Giacomo non aveva salvato nemmeno una copia del romanzo – disse il dottor Luzzati, soppesando lentamente. – E tu?

– Come?

– Intendo, tu non avevi salvato una copia del romanzo?

– No. Io, no.

– Capisco. Ne avevi solo una copia cartacea.

– No. Giacomo non mi ha mai dato nemmeno una copia cartacea.

– E tu quante volte gliel'hai chiesta?

Angelica sbuffò in modo lievemente irritato.

– Senti, Emerico...

– No, Angelica, sentimi tu. Per cosa ti pago, io? Cosa c'è scritto sul tuo preziosissimo biglietto da visita fatto fare a mano dal calligrafo dell'Accademia Navale?

– Emerico, non capisco.

– Angelica, il tuo lavoro è quello di editor. Sei un arbitro. Tu devi leggere. Tu devi giudicare. E se non va bene, devi intervenire.

Angelica fece un sorrisetto di superiorità.

– Lo sai cosa penso degli editor che riscrivono i libri dei loro autori?

– Nessuno ha parlato di riscrivere. Quello che devi fare è dire all'autore cosa c'è che non va. Non correggerlo, ma segnalarlo. È un'opera delicata, ma necessaria, e lo sai. Nessuno è il miglior giudice del proprio lavoro. È per questo che esiste l'editoria. Noi scegliamo, soppesiamo, critichiamo, e infine pubblichiamo. Abbiamo il dovere di tirar fuori il meglio da chi ci affida il suo nome e le sue idee.

E, qui, Angelica fece un errore. Per dare maggior forza alle proprie posizioni, fece finta di non aver ascoltato quello che il dottor Luzzati le aveva appena detto, e si limitò a ripetere la domanda precedente con tono un pochino più marcato:

– Lo sai cosa penso degli editor che riscrivono i libri dei loro autori?

– E tu lo sai cosa penso io di quelli che non li leggono nemmeno?

Con un tono di voce che, dal dottor Luzzati, Giacomo non aveva mai sentito.

Poi, voltandosi solo con la testa, l'editore guardò lo scrittore.

– Giacomo, ho fatto prenotare al Modus. Per favore, ti andrebbe di incamminarti al ristorante? Ti raggiungo lì fra dieci minuti.

E fai togliere un coperto, lesse Giacomo sotto il sopracciglio. Due basteranno.

Il giorno successivo

– Allora, è tutto a posto – disse Leonardo. – Il ruolo corretto è registrato, e quello sbagliato è stato cancellato.

– Perfetto – disse Letizia. – Quindi, anche il fermo amministrativo...

– Non c'è più. Possiamo ricominciare a usare l'automobile. Per andare dove non lo so, visto che te al lavoro ci vai in pullman e io il problema l'ho risolto alla radice, però in teoria...

Letizia stette qualche secondo in silenzio, mentre Leonardo giocherellava con le chiavi.

– Leo...

– Dimmi.

– Senti, Leo. Io lo so che a quella macchina ci sei affezionato, e tutto quanto. Però, mi chiedevo, specialmente nella situazione in cui siamo ora: ci serve davvero, una macchina?

Leonardo scosse la testa, a labbra strette.

– Sì, è la stessa cosa che pensavo io. Il problema è che portarla in rottamazione non si può, perché comprarne una nuova non possiamo. E a venderla, chi ce la compra?

– Qualcuno a cui la macchina serve per lavorare –
ribatté Letizia, pragmatica. – Oppure un neopatenta-
to a cui il babbo vuole comprare un mezzo da batta-
glia, di quelli che anche se li gratti su un marciapiede
pace. Siamo in un momento di crisi, non possono per-
mettersi tutti la Mercedes. Vedrai che un qualche di-
sgraziato che ha bisogno di una macchina si trova.

Volkswagen Lupo, anno 2000. Euro 2.500. E chi ce
li ha?

Fiat Punto terza serie, anno 2006. Euro 2.000. Meno
di quella di prima, più di quanto possa permettermi.

Renault Clio 1.2. Euro 1.500. Renault? No, grazie.

Costantino si passò le mani nei capelli, mentre la sensazione di aver fatto il passo più lungo della gamba si
affacciava fastidiosamente.

L'unico automezzo accessibile trovato fino a quel momento era una Fiat Panda del 1998, al prezzo di seicento euro. Purtroppo, il proprietario era di Pantelle-
ria. Sarebbe costato più il viaggio del mezzo.

Un altro tocco sulla rotella, e la pagina scorse verso
l'alto.

Peugeot 206 1.4 5 porte. Anno 1998.

Euro 400.

Costantino cliccò con circospezione.

Peugeot 206 1.4 5 porte. Cilindrata: 1360. Colore:
argento. Regione: Toscana. Provincia: Pisa.

Riferimenti: cliccare qui.

– E non abbiamo il minimo riferimento, quindi.

– Molto poco. So che si chiama Leonardo, il barista l'ha chiamato per nome. So dove abita, però è un condominio con una corte interna. Ci sono cinquantasei campanelli, li ho contati. Su nessuno c'è un Leonardo.

Giacomo annuì, pensoso. Di fronte a lui, Paola camminava avanti e indietro. A un certo punto, si fermò.

– E allora, non ci resta che andare a prendere un caffè.

– Io al vetro, macchiato freddo. Lei, agente Stelea?

– Normale, per me – rispose Corinna. – In tazzina, grazie, non al vetro. Dunque, come le dicevo, da quel punto di vista niente da fare. Pare che Costantino sia un nome piuttosto da vecchi. L'unico sotto i quarantacinque in Toscana si chiama Costantino Gigli.

– Pensava di andarlo a trovare – disse il dottor Corradini, mescolando.

Corinna scosse la testa.

– Non ce n'è bisogno. È un musicista, insegna clavicembalo al Conservatorio di Lucca e ha un ensemble di musica da camera. Ho visitato la sua pagina web. A parte il fatto che non corrisponde esattamente al profilo di un rapinatore di case, dalle foto valuto che pesi tranquillamente oltre i cento chili. Visto che il nostro Costantino dovrebbe essere esile...

– Ho capito –. Il dottor Corradini, dopo aver buttato giù il caffè, appoggiò il bicchierino sul bancone con mano ferma. – Senta, agente Stelea, vuole la mia opinione?

– Certo – disse Corinna.

– Secondo me questi due ci stanno prendendo bellamente per il culo.

E però. Corinna non aveva mai sentito il signor questore usare una parolaccia in sua presenza. Anche vero che a uno così repellente, per oltrepassare i limiti della decenza, bastava ed avanzava presentarsi.

– Si sono inventati questo Costantino che secondo loro li avrebbe aiutati ad entrare nella villa, e che poi avrebbe compiuto il furto alla LeaderSoft di testa sua per ripagare un ricettatore della mancata consegna di un computer.

Il dottor Corradini sottolineò il concetto togliendo il bicchierino dal bancone, e mettendolo accanto a Corinna.

– Ricettatore che sarebbe, stando sempre ai nostri due bravuomini, un informatico che al momento del furto lavorava presso la stessa ditta rapinata dal fantomatico Costantino. E ci indicano un tipo che ha una fedina penale immacolata, non ha entrate sospette di nessun tipo, e sembra la persona più normale dell'universo.

Il dottor Corradini si diresse verso la cassa.

– Sa cosa penso, agente Stelea? Che i nostri due bravi ragazzi, il Gobbo e Gutta, dopo aver svaligiato casa Mancini si siano resi conto di aver fatto un errore grossolano a non tornare al parcheggio con una tanica di benzina per distruggere l'automobile. D'altronde non sono dei rapinatori professionisti, sono uno spacciatore e un gorilla senza troppo cervello. Sì, un macchiato e un normale, grazie.

Il dottor Corradini intascò lo scontrino, e fece strada a Corinna. Una volta usciti dal bar, riprese:

– Insomma, i nostri due eroi si sono resi conto di aver agito con leggerezza. A quel punto, hanno deciso di trovare un capro espiatorio e hanno usato la stessa automobile per rapinare la LeaderSoft, per poi scaricare la colpa su questo signor Chiezzi. Probabilmente sapevano la storia delle telecamere. A proposito, se ci fa caso il tipo che si vede nelle riprese ha la stessa corporatura identica del Gobbo, cioè, del Bulleri.

Vero. In effetti il Gobbo, come statura, non superava il metro e sessantacinque, e dava l'idea di avere i cerini al posto delle ossa.

– Poi, dopo che qualcuno li ha traditi, si sono tirati fuori questa storiella assurda del ricettatore che presta la macchina a un inesistente Costantino espertissimo di allarmi e sistemi di sicurezza per fare le rapine. Ora, via, guardiamoci negli occhi. Le sembra possibile?

– Be'... – disse Corinna. – Sì, ci sono tante cose strane. Non so. Potrei comunque controllare...

– Be', certo, potrebbe comunque controllare. Se non avrà troppo da fare nei prossimi mesi, cosa di cui francamente dubito.

– Come, dottore?

– Il nucleo di Polizia Postale mi ha richiesto l'aggregazione temporanea di un elemento per poterlo integrare nel loro organico. Mi hanno richiesto un agente giovane, a suo agio con le nuove tecnologie, con una buona conoscenza informatica di base, e particolarmente meritevole. Ho fornito l'elenco degli effettivi in servizio, e avrebbero scelto lei, sempre che sia interessata.

– Polizia Postale?

– Esatto. Truffe su Internet, pedofili, cyber bullismo. In generale, i criminali più subdoli e schifosi della terra. Purtroppo, i colleghi hanno fretta, e vorrebbero che lei fosse disposta ad aggregarsi già nei prossimi giorni. Il che vorrebbe dire necessariamente chiudere il suo contributo a questa indagine. È disponibile?

Cioè, niente più sbarra da alzare?

Niente più cinque caffè e un cappuccio, alla svelta agente Stelea?

Niente più è un peccato che una come lei abbia fatto il poliziotto, poteva fare la modella?

Ditemi dove devo firmare.

– Sì, dottor Corradini. Sono disponibile.

– Certo che è sempre disponibile. Sì, esatto, quattrocento euro. Come dice? Oggi stesso? Mah, per me va bene. Mi dice il suo nome?

Breve silenzio, mentre Leonardo scriveva.

– Martini, ha detto? Ah, scusi, Maltinti. Sì, sì. Okay. Sì, esattamente, l'indirizzo è quello lì che compare sul banner. È piuttosto facile da trovare. Vicino alla stazione, sì. Ha presente?

– Dio bòno, ho presente sì – confermò il signor Consani. – Il signor Leonardo. Un giorno sì e uno no, mi chiedano di lui.

– Sì, credo proprio che sia lui – disse Giacomo, posando la tazzina sul piattino. – Saprebbe mica dirmi come si chiama, di cognome?

Il barista scosse la testa, mestamente.

– Guardi, ir cognome non lo so. So che la moglie si chiama Letizia, e credo vivan qui vicino.

Giacomo annuì, lentamente. Era già qualcosa. Leonardo al mondo ce n'era un gran numero di sicuro. Ma di Leonardi sposati con delle Letizie dovrebbero essercene parecchi meno. Magari, dal registro dei matrimoni in Comune...

– Se ni pol' essere d'aiuto – continuò il barista, mentre Giacomo elucubrava – so qual è la su' macchina.

– Macchina?

– Eh. La vede quella Peugeot lì, color argento, colla portiera tutta slabbrata? È la su' macchina, la parcheggia sempre lì.

– Ma davvero... – disse Giacomo, voltandosi a guardare il mezzo.

Macchina sempre nello stesso posto.

Portiera semiaperta.

Idea luminosa.

Niente da stupirsi, intendiamoci.

Anche Giacomo aveva letto Edward De Bono.

Epilogo

A volte basta poco, per sentirsi a posto con se stessi.

Col gomito appoggiato alla propria automobile, appena parcheggiata davanti a piazza Garibaldi, Costantino si pregustava un aperitivo dopo essere uscito dal lavoro. E questo bastava a farlo sentire il re del mondo.

La certezza che alcune cose erano di nuovo presenti nella sua vita: il lavoro, giustappunto. E che altre, invece, si erano assentate: come il Gobbo, la cui foto segnaletica spiccava sulla pagina del «Tirreno» che il tizio a due metri da lui stava leggendo, sotto la dicitura «Rapinarono villa Mancini: arrestati».

Fu mentre Costantino si godeva tutte queste confortevoli certezze che una voce femminile, con tono decisamente indagatorio, gli chiese senza preamboli:

– Scusi, lei cosa ci fa con questa macchina?

Costantino si voltò trovandosi a circa venti centimetri (o, in gergo tecnico, una incollatura) dalla camicia aperta di una fanciulla (o, in gergo tecnico, una scollatura), la quale rivelava un crocifisso dorato che si stagliava su uno dei più bei calvari che Costantino avesse mai visto.

– Come?

– Le ho chiesto cosa ci fa in questa macchina – ripeté la ragazza, chinandosi ulteriormente.

Finalmente, oltre alle bocce, Costantino vide anche il viso.

Meritevole, senza alcun dubbio. Anzi, più che meritevole.

E poi, a Costantino erano sempre piaciute le ragazze altissime.

Peccato il carattere di merda.

– Be', l'ho parcheggiata – rispose.

– Questo lo vedo. Intendo sapere perché si trova lì dentro.

– Perché è la mia automobile. L'ho comprata giusto ieri.

La ragazza dette uno sguardo apparentemente incredulo alla vettura, e poi ritornò a puntare il conducente:

– L'ha comprata usata?

– Sì, direi che è evidente. Se l'avessi comprata nuova mi avrebbero fregato di brutto, lei che dice?

– Potrebbe scendere, per favore?

– Se lei mi dice chi è, perché dovrei scendere e per quale motivo ha deciso di aggredirmi, e fa tutto questo con la dovuta educazione, allora sì, è possibile che scenda.

Solo in quel momento, Corinna si rese conto di non avere una divisa addosso.

– Sì, mi scusi – rispose dopo qualche secondo, con un sorriso un po' imbarazzato. – Sono stata veramente sgarbata. È una storia un po' lunghetta...

– Perfetto. Se si lascia offrire un aperitivo, potrebbe raccontarmela.

Corinna guardò il ragazzo, che continuò a sorriderle.

Dalla mattina, ovvero da quando il dottor Corradini aveva annunciato a Giacomo Mancini l'arresto dei responsabili del furto e il ritrovamento pressoché totale della refurtiva, Corinna moriva dalla voglia di fare due cose.

La prima, come al solito, era di prendere a calci il dottor Corradini all'incrocio dei pali fino a renderlo ancora più eunuco di quanto non fosse, visto che quella merda di maiale andata a male si era attribuito l'intero merito dell'operazione; non solo non aveva citato il contributo di Corinna, ma aveva addirittura chiesto perdono per eventuali comportamenti irriguardosi dei suoi sottoposti, augurandosi che non avessero troppo turbato l'ispirazione e la pace interiore dell'artista con la loro insistenza.

La seconda era di raccontare a qualcuno che cosa era veramente successo e quanto era stata brava, effettivamente brava, nel fare quello che aveva fatto; perché l'unico riconoscimento fino a quel momento era stato un puro gesto di cortesia del signor Mancini, che scusandosi per la sua grettezza in occasione del sopralluogo aveva chiesto a Corinna se era vero che lei aveva letto tutti i suoi libri, come gli aveva detto lei stessa all'inizio del loro primo incontro, e alla conferma le aveva regalato una copia stampata del manoscritto del suo ultimo romanzo, che sarebbe uscito in libreria solo tra qualche settimana.

E ora quel ragazzo, che si era dimostrato anche parecchio gentile, le chiedeva di ascoltarla.

Be', perche no?

– Perché non l'ho mai fatto. Non è il mio mestiere. Non so come si fa.

Giacomo Mancini scosse la testa.

– Ascolta, mio giovane amico: quando la tua prima ragazza ti ha messo le braccia al collo e ti si è avvicinata, tu cosa hai fatto? Le hai detto «scusa ma non l'ho mai fatto, non so come si fa» oppure le hai dato un bel ciuccione come Cristo comanda?

– Be', è diverso – disse Leonardo. – Cerchi di capire. Io mi ritrovo in automobile un contratto già firmato da uno dei principali editori del paese che mi vorrebbe come editor per la lingua italiana. Sono un po' imbarazzato. Un po' indeciso.

– E fai bene. Perché è un lavoraccio di merda.

Leonardo, seduto in punta di poltrona nel salotto tirato a lucido di casa Mancini, cominciò a tamburellarsi con le dita sulle ginocchia.

– Ah, be'. Così mi incoraggia. Perché un lavoraccio di merda?

– Difficile spiegarlo nel dettaglio. Diciamo che nessuno ti ringrazierà mai quando farai bene il tuo lavoro, e se la prenderanno con te se lo fai male. La gloria se la beccherà tutta l'autore, di cui solo tu conosci le magagne. Magagne che non puoi dire in giro, sennò... – e qui Giacomo fece un segno inequivocabile con le mani.

Leonardo guardò Giacomo alzando le sopracciglia, prima di rispondere chiedendo:

– Lei ha mai lavorato in vita sua?

– In che senso?

– Ha mai fatto qualcosa di diverso dallo scrittore, intendo?

– No. No, ho sempre scritto per vivere.

– Ecco. Vede, scusi se sono brutale, ma il novantasette per cento dei lavori è così. È perfettamente normale essere invisibili finché si funziona, ed essere additati quando si fa la cazzata. Succede al medico, al commercialista, all'impiegato, a chiunque. Se questo è l'aspetto peggiore, credo di potermi adattare facilmente –. Leonardo sorrise, per la prima volta. – Non è certo questo che mi può spaventare.

Speriamo, piuttosto, che non se ne accorga, che sono spaventato a morte.

Corinna stava parlando da un'oretta con Costantino o, come sapeva lei, con Ottaviano: una volta saputo che era una poliziotta, Costantino aveva ritenuto opportuno non dirle il proprio soprannome. O, meglio: Costantino non aveva ancora detto proprio niente, era Corinna che parlava, contenta di aver trovato una persona che sapeva ascoltare, che non la interrompeva e che seguiva con visibile concentrazione quello che stava dicendo. Costantino, nella fattispecie tornato Ottaviano, era stato in effetti attentissimo a seguire tutto quello che diceva la ragazza, specialmente dopo essersi reso conto che il fantomatico rapinatore che i due ladruncoli si erano inventati era, a tutti gli effetti, nient'altro che lui.

– E quindi, alla fine, tutto il merito se l'è preso il questore – disse Corinna, passandosi una mano fra i capelli. – E io sono rimasta con il dubbio. Capisce, quindi, cosa ho provato quando l'ho vista prima, in quella automobile. Mi è andato il sangue alla testa.

– Capisco, capisco – disse Costantino. – Certo, ad aver saputo che era stata usata per una rapina, avrei potuto chiedere lo sconto. Quasi quasi telefono all'ex proprietario e gli chiedo di ridarmi la metà dei soldi.

Corinna, per la prima volta, rise.

Una risata sincera, di quelle che sciolgono la tensione e schierano dalla stessa parte della barricata, qualunque essa sia.

– Sarebbe un'idea – riprese Corinna, dopo aver smesso di ridere. – Anzi, a questo proposito, dovrei chiederle un favore.

– Mi dica.

– Ecco, io nello spiegare il mio comportamento mi sono lasciata sfuggire alcune informazioni, diciamo così...

– Ho capito. Adesso so cose che non dovrei sapere.

– Esatto. Per cui...

Costantino, signorilmente, tranquillizzò Corinna.

– Non c'è problema, si figuri. Ovviamente – proseguì in tono scherzoso – da buon italiano, vorrei qualcosa in cambio.

– Ecco. Avanti.

– In primo luogo, potremmo darci del tu. Abbiamo quasi la stessa età.

– Certo. Volentieri.

– In secondo luogo, avrei una curiosità.

– Non so se posso...

– Non credo sia un segreto di stato. Ho capito bene che questo tipo qui – e Costantino indicò l'articolo relativo all'arresto dei due criminali sul giornale locale di cui Corinna si era servita per introdurlo alla narrazione delle sue stesse malefatte – è soprannominato il Gobbo?

– Sì. Giancarlo Bulleri all'anagrafe, il Gobbo per tutti.

– Ecco. Perché uno così strabico è soprannominato il Gobbo? Che è, Marty Feldman?

Corinna rise per la seconda volta.

– No, no. Niente di tutto questo. È per via della foto segnaletica. Sai che quando ti fanno la foto segnaletica la fanno di fronte e di profilo, no? Ecco, nella foto del primo arresto del Bulleri si vede questo tizio che ha un occhio puntato verso la camera quando è di faccia, e quell'altro occhio puntato verso la camera anche quando è di profilo. E uno di quelli che vide la foto per la prima volta, notandolo, disse: «Boia questo vì, com'è brutto. Pare il gobbo di picche!».

– Il che?

– Il gobbo di picche. Il jack di picche, quello delle carte. In italiano non si chiama gobbo?

Costantino sorrise, in modo soddisfatto.

– In Toscana – rispose, sempre sorridendo. – In italiano è il fante. E anche qui in Toscana, ormai, lo chiamano gobbo solo i vecchi.

– No, signore. Non credo essere così vecchio.

– Non abbiamo detto che sei vecchio, Seelan. Abbiamo detto che forse, vista l'età e viste anche le tue condizioni di salute...

– Non mi lo dica, signor Giacomo. Sempre, quando il tempo cambia, questo piede è una tortura.

– Ma appunto per questo, Seelan – rispose Giacomo. – Non preferiresti andare in pensione e stare a casa tua?

Seelan rivolse a Giacomo uno sguardo che, se si dovesse descrivere, metterebbe in seria difficoltà anche Edmondo de Amicis.

– Io è un po' più vecchio, signor Giacomo, è vero. Problema è che anche mia moglie invecchia. E io divento peggiore di fisico, ma lei diventa peggiore di carattere. Sempre lamentarsi, sempre rimprovera, sempre non fare questo e non fare quello. Sempre vedere suoi programmi in televisione. Io starei volentieri in casa mia, signor Giacomo, se mia moglie stesse fuori.

E beccati questa.

Mentre Giacomo accusava, ben sapendo che non poteva obbligare il proprio domestico a divorziare, Paola entrò per la prima volta attivamente nel discorso.

– Seelan, scusa, ma tua moglie quanti anni ha?

– Lei giovane. Giovane più di me, signora Paola. Cinquanta appena. Ma età non conta, conta carattere. E lei sempre avuto cattivo carattere, noioso carattere. Ora poi...

– Sì, Seelan, ti capisco. Ma quello che volevo dire è: lei sarebbe disposta a lavorare?

– Difficile, signora. Lei parla pochissimo italiano, meglio inglese.

– Fa lo stesso. Seelan, tua moglie cucina divinamente – disse Paola. – E io di cucinare sempre le stesse cose ne ho piene le scatole. Cosa ne diresti di sentire se le piacerebbe che la assumessi come cuoca?

– Cuoca?

– Esatto. Cuoca. In questo modo, però, potrei mantenere solo uno di voi due. In pratica, tu dovresti licenziarti, e lei prenderebbe il tuo posto, con mansioni diverse. Lei a casa nostra, e tu a casa tua.

L'espressione con cui Giacomo guardò la moglie doveva essere simile a quella che aveva Giulio II la prima volta che incrociò Michelangelo dopo essere entrato nella Cappella Sistina.

Ma vuoi mettere la soddisfazione di riuscire a far sorridere Seelan?

Con un sorriso simile, quella sera, Corinna si mise a letto, dopo aver passato la serata a leggere in cucina.

Il nuovo lavoro, e un nuovo amico. Per ora amico, poi chissà.

E un bel libro da finire, per questa sera, prima di addormentarsi.

L'ultimo libro di uno dei suoi scrittori preferiti, ancora prima che uscisse.

Sono soddisfazioni mica da poco.

Capitolo ultimo

Senza guardare avanti, mi tolsi i guanti bianchi e li poggiai di fronte a me. Quindi incrociai le braccia.

Alla mia sinistra, strinsi la mano sinistra del Morgante; alla mia destra, trovai la destra del maestro venerabile.

Qualcuno mi sussurrò qualcosa all'orecchio, e io lo ripetei. E così fecero i fratelli alla mia sinistra, fino a che la parola giunse al primo sorvegliante.

– Maestro – disse quest'ultimo, lasciando la mano dei propri vicini – la catena d'unione si è rotta, e la parola è andata perduta.

– Fratelli, la catena d'unione si è rotta – rispose il venerabile, con una voce più mesta che solenne. – Uno dei suoi anelli si è spezzato, e la parola è andata perduta. Riprendiamo i nostri posti.

Lasciai le mani di chi mi stava accanto, insieme agli altri.

– Fratello segretario, dateci il nome – riprese il maestro venerabile. – Diteci il nome del fratello che non ha risposto alla nostra chiamata, e per il quale la parola è andata persa.

– Venerabile maestro – rispose il segretario – è il nostro fratello Carlo Trivella, passato all'oriente eterno il dodicesimo giorno del terzo mese dell'anno di vera luce seimilatredici, il sette di maggio duemilatredici dell'era volgare. Egli ha lasciato la compagnia dei viventi.

Vero.

Mio fratello era morto già da una settimana, ed io non avevo ancora versato una lacrima.

Forse perché la cosa era successa in modo rapido, riflettei mentre i fratelli continuavano a parlare.

Troppo rapido per realizzare appieno.

Uno dei computer del dipartimento non concedeva l'accesso, e Carlo era andato nella stanza fredda (il centro di calcolo, mi aveva spiegato, era chiamato così per i condizionatori da transatlantico, anche se in realtà ci faceva un caldo assurdo ugualmente) per vedere se per caso era possibile farlo ripartire a mano, col vecchio sistema dello spegni e riaccendi.

Tutti gli altri erano in consiglio di dipartimento, cosa di cui Carlo essendo in pensione poteva fare tranquillamente a meno; del consiglio, non dell'aria del dipartimento, in cui continuava ad andare tutti i giorni.

Un'ora dopo lo avevano ritrovato, nella stanza fredda, steso fra i cavi.

Infarto.

Un colpo improvviso, di maglietto, mi riportò nella stanza.

– Fratelli alla colonna del settentrione – disse il primo sorvegliante – se qualcuno vuole portare una testimonianza sulle virtù del nostro fratello Carlo, gli è concessa la parola.

Come previsto, alla mia sinistra Morgante avanzò, portandosi in mezzo al cerchio.

Ildebrando Morgante era il migliore amico di mio fratello. Un'amicizia cominciata da studenti e continuata da professori, resistendo ad ogni possibile corrente dei pericolosi corridoi bizantini dell'ateneo, che sono così efficaci nello spingere persone simili in direzioni differenti. Credo che fosse stato proprio Morgante a far entrare Carlo in massoneria, ma potrebbe anche essere possibile il contrario. Io entrai non molto tempo dopo, attirato dalla natura di una delle poche accolite dove la parola del cameriere contava quanto quella del professore. Col tempo, a volte me ne sono pentito, e a volte ne sono stato orgoglioso.

– Fratelli – iniziò Morgante, con voce serena – permettetemi di ricordare il nostro fratello Carlo come lui avrebbe desiderato. Parlando cioè, non della sua morte, ma della sua vita. E per farlo, parlerò di noi.

Morgante si interruppe un attimo, indicando un punto del tempio con la mano.

– In ognuno dei nostri templi, fratelli, c'è un angolo non terminato, lasciato interrotto dai muratori, e privo di intonaco. Quell'angolo ci ricorda che il nostro lavoro non può mai dirsi concluso, e che la natura mortale dell'uomo non gli permette, non gli può permettere, e non gli permetterà mai di comprendere ogni cosa, e di impadronirsi di una conoscenza che possa dirsi completa, finita e definitiva.

Morgante fece una pausa, chinando la testa verso il

pavimento. Poi, alzando lo sguardo verso il soffitto, riprese a parlare.

– Ecco: una volta, Carlo mi disse che aveva paura della morte, ma che la vita eterna lo avrebbe atterrito molto di più. Vivendo in eterno, diceva, anche il più imbecille dei fessi sarebbe in grado di capire ogni cosa. E a quel punto non varrebbe più la pena di vivere. Conoscere tutto, non avere più domande, non avere più curiosità, sarebbe negare la nostra stessa essenza di umani. Sapere come va a finire ogni storia, nell'attimo stesso in cui il narratore inizia a raccontartela; anzi, sapere già che il narratore ha deciso di raccontartela in quel momento, in quell'istante. Conoscere ogni cosa, ogni persona, sapere ricondurre ogni fatto a regole da noi applicabili, alla lunga renderebbe la vita un'abitudine, e gli esseri umani ad automi. Preferisco, disse Carlo, la morte alla noia, di gran lunga.

Morgante smise di guardarsi, e guardò noi.

– Esaminando i documenti e il computer, mi sono reso conto che recentemente Carlo aveva ripreso a lavorare ad una sua vecchia fissa, ovvero la possibilità di immaginare e sviluppare un metodo di calcolo in grado di riconoscere un musicista dalla partitura. Per molto tempo, Carlo aveva lavorato sulla melodia, cioè sulle note; da qualche mese, dopo un congresso, aveva incominciato a concentrarsi sulle pause. Sui punti di silenzio imposti dal compositore, su quella che per un certo verso può essere considerata la punteggiatura della musica. E aveva trovato risultati decisamente molto incoraggianti. Non so se questo porterà un giorno all'algoritmo, al metodo che Carlo sognava: ma lasciatemi dire che trovo decisamente affascinante l'idea che un genio, un grande musicista, si possa riconoscere non solo da quello che dice quando parla, ma anche da come e quando sceglie di stare zitto.

Morgante annuì tra sé, per qualche istante, prima di continuare, in tono nuovamente sereno.

– Credo sinceramente che questo nuovo modo di vedere il problema, oltre che da un punto di vista matematico, avesse avuto su di lui un effetto sferzante sotto l'aspetto personale. Da qualche mese, il Carlo dimesso e disilluso che vedevo tutti i giorni, una sciatta imitazione della persona che avevo conosciuto, era ritornato ad essere il Carlo a pieno regime che tutti avremmo voluto vedere. È triste pensare che se ne sia andato ora, che aveva ricominciato a vivere pienamente; ma, forse, sarebbe stato molto più triste se se ne fosse andato prima, il non accorgersi nemmeno che era morto. A me piace pensare che andarsene da questo mondo da vecchi pieni di entusiasmo sia meglio che non spegnersi dimenticati da tutti, compresi noi stessi.

Morgante rialzò la testa, con occhi che facevano di tutto per non incrociare quelli di qualcun altro.

– Adesso, Carlo che studiava il silenzio è andato per sempre nel silenzio. E per questo vi chiedo che noi, che ancora possiamo scegliere, gli dedichiamo qualche minuto del nostro tacere.

Abbassai gli occhi, come gli altri, pensando che Morgante aveva detto delle cose veramente toccanti. Poi rialzai lo sguardo, puntandolo sui mattoni dell'angolo incompleto.

Sarebbe bello, pensai, che al prossimo congresso dell'ISAM Morgante ripetesse lo stesso discorso, per ricordare Carlo.

Subito dopo, mi venne in mente che Carlo non c'era più.

E che quindi i prossimi congressi non sarebbero più stati tenuti nel mio hotel.

E allora vidi i contorni dei mattoni cominciare ad apparirmi sfocati, e tremolanti.

Per finire

Non sarei mai stato in grado di scrivere questo libro da solo (come al solito, s'intende): mi sembra giusto, quindi, ringraziare tutte le persone che mi hanno dato una mano.

Ringrazio in primis Stefania Maglienti per la sua consulenza giuslavoristica a trecentosessanta gradi (e anche di più, lei sa perché).

Ringrazio Michele Giardino per avermi illustrato tutte le procedure, i meandri e le trappole del recupero crediti istituzionale.

Ringrazio Cristiano Birga per avermi spiegato alcune problematiche informatiche con cui la polizia postale si trova spesso a prendersi a cazzotti.

Ringrazio la mia compagine privata di amici ingegneri (Mimmo Tripoli e Massimo Totaro) per avermi spiegato come si convince una automobile a concedersi al primo che passa senza bisogno di scardinarne le portiere; come tangibile segno di riconoscenza, in questo libro continuo a prendere per il sedere gli ingegneri, come sempre.

Ringrazio mio padre, mia madre, Liana, Mimmo, Serena, Virgilio, Letizia, Massimo, la Cheli (sì, proprio lei, la conoscete di sicuro) e i miei concittadini virtuali di Olmo Marmorito per la loro preziosa opera di lettura preliminare, che come al solito ha aiutato a eliminare molti errori, omissioni ed incasinamenti vari.

Ma, soprattutto, ringrazio Samantha, che ancora una volta ha approfittato bassamente della nostra relazione per raccontarmi una storia: la trama di questo libro, infatti, è tutta sua.

Mantova, 4 settembre 2013

Indice

Indice

Questo volume è stato stampato
su carta Palatina
delle Cartiere di Fabriano
nel mese di settembre 2013
presso la Leva Arti Grafiche s.p.a. - Sesto S. Giovanni (MI)
e confezionato
presso IGF s.p.a. - Aldeno (TN)

La memoria